# 漢字検定 5級 頻出度順問題集

JN002897

高橋書店

# 頻出ベスト100

# 書き取り

**訓読みを優先して覚えよう**

「書き取り」では、音読み10問、訓読み10問程度が出題される。中でも訓読みは同じ問題がくり返し出題されやすい。優先的に対策しよう。

| | 問題 | 解答 |
|---|---|---|
| 1 | モる | 盛る |
| 2 | マく | 巻く |
| 3 | スガタ | 姿 |
| 4 | ハイク | 俳句 |
| 5 | ワスれる | 忘れる |
| 6 | ヤクす | 訳す |
| 7 | ムネ | 胸 |
| 8 | ナラべる | 並べる |
| 9 | (日が)クれる | 暮れる |
| 10 | オガむ | 拝む |
| 11 | (雨が)フる | 降る |
| 12 | センモン | 専門 |
| 13 | キビしい | 厳しい |
| 14 | オサナい | 幼い |
| 15 | オギナう | 補う |
| 16 | ソまる | 染まる |
| 17 | (道に)ソう | 沿う |
| 18 | ミトめる | 認める |
| 19 | スてる | 捨てる |
| 20 | シタガう | 従う |
| 21 | ミダれる | 乱れる |
| 22 | マド | 窓 |
| 23 | トドける | 届ける |
| 24 | ゲキ | 劇 |
| 25 | アラう | 洗う |
| 26 | チョゾウ | 貯蔵 |
| 27 | ユウビン | 郵便 |
| 28 | イタダキ | 頂 |
| 29 | エンソウ | 演奏 |
| 30 | スます | 済ます |
| 31 | スう | 吸う |
| 32 | カクチョウ | 拡張 |
| 33 | ホす | 干す |
| 34 | ハッキ | 発揮 |
| 35 | タれる | 垂れる |
| 36 | コマる | 困る |
| 37 | ボウ | 棒 |
| 38 | ノゾく | 除く |
| 39 | ゼン(と悪) | 善 |
| 40 | コウフン | 興奮 |
| 41 | ロウドク | 朗読 |
| 42 | (目に)ウツる | 映る |
| 43 | キチョウ(品) | 貴重 |
| 44 | ワレ | 我 |

45 キザむ ▼刻む
46 ハラ(が立つ) ▼腹
47 テツボウ ▼鉄棒
48 ウタガう ▼疑う
49 カンケツ ▼簡潔
50 タマゴ ▼卵
51 (機械の)コショウ ▼故障
52 ドクソウ(曲) ▼独奏
53 シセイ ▼姿勢
54 タイソウ ▼体操
55 (矢を)イる ▼射る
56 ムズカしい ▼難しい
57 ハゲしい ▼激しい
58 コウソウ(ビル) ▼高層

59 トウロン ▼討論
60 シキ(者) ▼指揮
61 テンジ(する) ▼展示
62 ウチュウ ▼宇宙
63 カブ ▼株
64 アブない ▼危ない
65 タイサク ▼対策
66 ザセキ ▼座席
67 イズミ ▼泉
68 コトなる ▼異なる
69 サツ ▼冊
70 カイコ(のまゆ) ▼蚕
71 フクソウ(を選ぶ) ▼服装
72 (会社に)ツトめる ▼勤める

73 ヨぶ ▼呼ぶ
74 ウラニワ ▼裏庭
75 イサン(を残す) ▼遺産
76 ヒヒョウ ▼批評
77 セイザ(を見る) ▼星座
78 サバく ▼裁く
79 キケン ▼危険
80 (神だなに)ソナえる ▼供える
81 ショウライ ▼将来
82 ケンリ ▼権利
83 スイシン(する) ▼推進
84 キヌ ▼絹
85 ハン(行動) ▼班
86 ヨクジツ ▼翌日

87 スジ ▼筋
88 ユウショウ(旗) ▼優勝
89 カンバン ▼看板
90 ウンチン ▼運賃
91 マク(が上がる) ▼幕
92 ソウチ ▼装置
93 タカラ ▼宝
94 マドベ ▼窓辺
95 サトウ ▼砂糖
96 シュウニン ▼就任
97 ツクエ ▼机
98 イタる ▼至る
99 カチ(がある) ▼価値
100 ウヤマう ▼敬う

# 頻出ベスト100

# 対義語・類義語

**対応関係がわかりにくい熟語に注意**

「対義語・類義語」は対になる語を答える問題。整理⇕散乱のように共通の字がない熟語は、覚えていないと答えにくい。よく出る熟語を押さえよう。

## 対義語

| No. | 問題 | | 解答 |
|---|---|---|---|
| 1 | 定《てい》例《れい》 | ⇕ | 臨《りん》時《じ》 |
| 2 | 水《すい》平《へい》 | ⇕ | 垂《すい》直《ちょく》 |
| 3 | 快《かい》楽《らく》 | ⇕ | 苦《く》痛《つう》 |
| 4 | 整《せい》理《り》 | ⇕ | 散《さん》乱《らん》 |
| 5 | 公《こう》開《かい》 | ⇕ | 秘《ひ》密《みつ》 |
| 6 | 応《おう》答《とう》 | ⇕ | 質《しつ》疑《ぎ》 |
| 7 | 容《よう》易《い》 | ⇕ | 困《こん》難《なん》 |
| 8 | 実《じつ》物《ぶつ》 | ⇕ | 模《も》型《けい》 |
| 9 | 往《おう》復《ふく》 | ⇕ | 片《かた》道《みち》 |
| 10 | 目《もく》的《てき》 | ⇕ | 手《しゅ》段《だん》 |
| 11 | 表《おもて》側《がわ》 | ⇕ | 裏《うら》側《がわ》 |
| 12 | 表《おもて》門《もん》 | ⇕ | 裏《うら》門《もん》 |
| 13 | 悪《あく》意《い》 | ⇕ | 善《ぜん》意《い》 |
| 14 | 地《じ》味《み》 | ⇕ | 派《は》手《で》 |
| 15 | 複《ふく》雑《ざつ》 | ⇕ | 単《たん》純《じゅん》 |
| 16 | 寒《かん》冷《れい》 | ⇕ | 温《おん》暖《だん》 |
| 17 | 短《たん》縮《しゅく》 | ⇕ | 延《えん》長《ちょう》 |
| 18 | 拡《かく》大《だい》 | ⇕ | 縮《しゅく》小《しょう》 |
| 19 | 横《よこ》糸《いと》 | ⇕ | 縦《たて》糸《いと》 |
| 20 | 誕《たん》生《じょう》 | ⇕ | 死《し》亡《ぼう》 |
| 21 | 河《か》口《こう》 | ⇕ | 水《すい》源《げん》 |
| 22 | 義《ぎ》務《む》 | ⇕ | 権《けん》利《り》 |
| 23 | 延《えん》長《ちょう》 | ⇕ | 短《たん》縮《しゅく》 |
| 24 | 退《たい》職《しょく》 | ⇕ | 就《しゅう》職《しょく》 |
| 25 | 冷《れい》静《せい》 | ⇕ | 興《こう》奮《ふん》 |
| 26 | 満《まん》潮《ちょう》 | ⇕ | 干《かん》潮《ちょう》 |
| 27 | 複《ふく》雑《ざつ》 | ⇕ | 簡《かん》単《たん》 |
| 28 | 外《がい》出《しゅつ》 | ⇕ | 帰《き》宅《たく》 |
| 29 | 正《せい》常《じょう》 | ⇕ | 異《い》常《じょう》 |
| 30 | 横《よこ》長《なが》 | ⇕ | 縦《たて》長《なが》 |
| 31 | 両《りょう》方《ほう》 | ⇕ | 片《かた》方《ほう》 |
| 32 | 保《ほ》守《しゅ》 | ⇕ | 革《かく》新《しん》 |
| 33 | 尊《そん》重《ちょう》 | ⇕ | 無《む》視《し》 |
| 34 | 散《さん》在《ざい》 | ⇕ | 密《みっ》集《しゅう》 |
| 35 | 横《おう》断《だん》 | ⇕ | 縦《じゅう》断《だん》 |
| 36 | 悲《ひ》報《ほう》 | ⇕ | 朗《ろう》報《ほう》 |
| 37 | 他《た》者《しゃ》 | ⇕ | 自《じ》己《こ》 |
| 38 | 成《せい》熟《じゅく》 | ⇕ | 未《み》熟《じゅく》 |
| 39 | 開《かい》館《かん》 | ⇕ | 閉《へい》館《かん》 |
| 40 | 寒《かん》流《りゅう》 | ⇕ | 暖《だん》流《りゅう》 |
| 41 | 死《し》亡《ぼう》 | ⇕ | 誕《たん》生《じょう》 |
| 42 | 読《どく》者《しゃ》 | ⇕ | 著《ちょ》者《しゃ》 |
| 43 | 激《げき》増《ぞう》 | ⇕ | 激《げき》減《げん》 |
| 44 | 正《しょう》面《めん》 | ⇕ | 背《はい》面《めん》 |

45 借《しゃく》用《よう》 ↕ 返《へん》済《さい》
46 無《む》視《し》 ↕ 尊《そん》重《ちょう》
47 否《ひ》決《けつ》 ↕ 可《か》決《けつ》
48 開《かい》幕《まく》 ↕ 閉《へい》幕《まく》
49 過《か》去《こ》 ↕ 将《しょう》来《らい》
50 辞《じ》任《にん》 ↕ 就《しゅう》任《にん》

## 類義語

1 広《こう》告《こく》 ＝ 宣《せん》伝《でん》
2 向《こう》上《じょう》 ＝ 発《はっ》展《てん》
3 役《やく》者《しゃ》 ＝ 俳《はい》優《ゆう》
4 他《た》界《かい》 ＝ 死《し》亡《ぼう》
5 任《にん》務《む》 ＝ 役《やく》割《わり》
6 筆《ひっ》者《しゃ》 ＝ 著《ちょ》者《しゃ》
7 給《きゅう》料《りょう》 ＝ 賃《ちん》金《ぎん》
8 方《ほう》法《ほう》 ＝ 手《しゅ》段《だん》
9 地《ち》区《く》 ＝ 地《ち》域《いき》
10 始《し》末《まつ》 ＝ 処《しょ》理《り》
11 大《たい》木《ぼく》 ＝ 大《たい》樹《じゅ》
12 直《ちょく》前《ぜん》 ＝ 寸《すん》前《ぜん》
13 家《か》屋《おく》 ＝ 住《じゅう》宅《たく》
14 助《じょ》言《げん》 ＝ 忠《ちゅう》告《こく》
15 価《か》格《かく》 ＝ 値《ね》段《だん》
16 分《ぶん》野《や》 ＝ 領《りょう》域《いき》
17 重《おも》荷《に》 ＝ 負《ふ》担《たん》
18 真《ま》心《ごころ》 ＝ 誠《せい》意《い》
19 明日《あす》 ＝ 翌《よく》日《じつ》
20 加《か》入《にゅう》 ＝ 加《か》盟《めい》
21 自《じ》分《ぶん》 ＝ 自《じ》己《こ》
22 保《ほ》管《かん》 ＝ 保《ほ》存《ぞん》
23 後《こう》方《ほう》 ＝ 背《はい》後《ご》
24 未《み》来《らい》 ＝ 将《しょう》来《らい》
25 有《ゆう》名《めい》 ＝ 著《ちょ》名《めい》
26 快《かい》活《かつ》 ＝ 明《めい》朗《ろう》
27 討《とう》議《ぎ》 ＝ 議《ぎ》論《ろん》
28 大《たい》切《せつ》 ＝ 貴《き》重《ちょう》
29 討《とう》議《ぎ》 ＝ 討《とう》論《ろん》
30 次《じ》週《しゅう》 ＝ 翌《よく》週《しゅう》
31 感《かん》動《どう》 ＝ 感《かん》激《げき》
32 処《しょ》理《り》 ＝ 始《し》末《まつ》
33 容《よう》易《い》 ＝ 簡《かん》単《たん》
34 着《ちゃく》任《にん》 ＝ 就《しゅう》任《にん》
35 質《しつ》問《もん》 ＝ 質《しつ》疑《ぎ》
36 改《かい》良《りょう》 ＝ 改《かい》善《ぜん》
37 開《かい》演《えん》 ＝ 開《かい》幕《まく》
38 設《せつ》立《りつ》 ＝ 創《そう》立《りつ》
39 方《ほう》法《ほう》 ＝ 方《ほう》策《さく》
40 改《かい》新《しん》 ＝ 改《かい》革《かく》
41 最《さい》良《りょう》 ＝ 最《さい》善《ぜん》
42 設《せつ》立《りつ》 ＝ 創《そう》設《せつ》
43 反《けん》対《たい》 ＝ 異《い》議《ぎ》
44 帰《き》省《せい》 ＝ 帰《き》郷《きょう》
45 時《じ》間《かん》 ＝ 時《じ》刻《こく》
46 外《がい》国《こく》 ＝ 異《い》国《こく》
47 異《い》議《ぎ》 ＝ 異《い》論《ろん》
48 刊《かん》行《こう》 ＝ 出《しゅっ》版《ぱん》
49 所《しょ》得《とく》 ＝ 収《しゅう》入《にゅう》
50 指《さし》図《ず》 ＝ 指《し》揮《き》

# 頻出ベスト48

# 四字熟語

**意味も一緒《しょ》に覚えよう**

「四字熟語」に使われる漢字を書く問題。あまり見慣れない四字熟語は、意味も一緒《しょ》に覚えると記憶《おく》に残りやすい。左の表を参考に意味も押さえておこう。

| | 四字熟語 | 意味 |
|---|---|---|
| 1 | 実《じつ》力《りょく》発《はっ》揮《き》 | 持ち前の力を十分に表し出すこと |
| 2 | 永《えい》久《きゅう》磁《じ》石《しゃく》 | じ力をいつまでも保ったじしゃく |
| 3 | 高《こう》層《そう》建《けん》築《ちく》 | 高く建てられた構造物 |
| 4 | 世《よ》論《ろん》調《ちょう》査《さ》 | 世間いっぱんの意見を調査すること |
| 5 | 沿《えん》岸《がん》漁《ぎょ》業《ぎょう》 | 海岸の近くで行う漁業 |
| 6 | 政《せい》党《とう》政《せい》治《じ》 | 政とうが議会を支配する政治 |
| 7 | 学《がく》習《しゅう》意《い》欲《よく》 | 学ぶことへの積極的な気持ち |
| 8 | 学《がっ》級《きゅう》日《にっ》誌《し》 | 毎日書かれるクラスの記録 |
| 9 | 優《ゆう》先《せん》順《じゅん》位《い》 | 物事に着手する順序 |
| 10 | 公《こう》衆《しゅう》道《どう》徳《とく》 | 社会の一員として守るべきこと |
| 11 | 災《さい》害《がい》対《たい》策《さく》 | 災害に対応するための手段 |
| 12 | 蒸《じょう》気《き》機《き》関《かん》 | 熱エネルギーにより動力を得る機関の一つ |
| 13 | 自《じ》己《こ》負《ふ》担《たん》 | その人自身が義務を負うこと |
| 14 | 宇《う》宙《ちゅう》旅《りょ》行《こう》 | う宙を旅すること |
| 15 | 技《ぎ》術《じゅつ》革《かく》新《しん》 | 科学を応用し制度や組織を新しくすること |
| 16 | 有《ゆう》名《めい》無《む》実《じつ》 | 評判と実際が異なること |
| 17 | 創《そう》立《りつ》記《き》念《ねん》 | 学校などができた日を思い起こし心を新たにすること |
| 18 | 完《かん》全《ぜん》無《む》欠《けつ》 | どこから見ても短所がないこと |
| 19 | 心《しん》機《き》一《いっ》転《てん》 | 何かをきっかけに気持ちが変わること |
| 20 | 臓《ぞう》器《き》移《い》植《しょく》 | 体の器官をうつしかえること |
| 21 | 絶《ぜっ》体《たい》絶《ぜつ》命《めい》 | せっぱつまった状態 |

22
危《き》急《きゅう》存《そん》亡《ぼう》
生き残りをかけたせとぎわのこと

23
負《ふ》担《たん》軽《けい》減《げん》
荷を軽くすること

24
家《か》庭《てい》訪《ほう》問《もん》
生活の場所にたずねること

25
油《ゆ》断《だん》大《たい》敵《てき》
気をゆるめると失敗を招くこと

26
郵《ゆう》便《びん》配《はい》達《たつ》
ゆう便物を配り届けること

27
首《しゅ》脳《のう》会《かい》談《だん》
中心に立つ者の公な話し合い

28
玉《ぎょく》石《せき》混《こん》交《こう》
よいものと悪いものが入りまじること

29
半《はん》信《しん》半《はん》疑《ぎ》
本当かどうか迷うこと

30
一《いっ》挙《きょ》両《りょう》得《とく》
一つの事をして二つの利益を得ること

31
株《かぶ》式《しき》会《がい》社《しゃ》
かぶぬしで組織された会社

32
直《ちょく》射《しゃ》日《にっ》光《こう》
まともにさす太陽光線

33
拡《かく》張《ちょう》工《こう》事《じ》
はばを広げて大きくするための工事

34
国《こく》民《みん》主《しゅ》権《けん》
国の政治のあり方を国民が決めること

35
器《き》械《かい》体《たい》操《そう》
鉄棒や平均台など器械を使う体そう

36
議《ぎ》論《ろん》百《ひゃく》出《しゅつ》
様々な意見をたがいに述べ合うこと

37
針《しん》小《しょう》棒《ぼう》大《だい》
物事を実際より大げさに言うこと

38
南《なん》極《きょく》探《たん》検《けん》
南極大陸を実際に調査・研究すること

39
明《めい》朗《ろう》快《かい》活《かつ》
明るく元気のある様子

40
応《おう》急《きゅう》処《しょ》置《ち》
急場しのぎで行う手当て

41
自《じ》画《が》自《じ》賛《さん》
自分で自分をほめること

42
公《こう》衆《しゅう》衛《えい》生《せい》
人々の健康を守るための社会的活動

43
郷《きょう》土《ど》料《りょう》理《り》
その地方特有の料理

44
優《ゆう》先《せん》座《ざ》席《せき》
お年寄りなどをゆう先すべき座席

45
国《こく》際《さい》親《しん》善《ぜん》
国同士が仲良くすること

46
署《しょ》名《めい》活《かつ》動《どう》
意見などに同意する記名を集める行動

47
専《せん》門《もん》学《がっ》校《こう》
特定の分野を学ぶ学校

48
大《たい》器《き》晩《ばん》成《せい》
大人物はおくれて頭角を現すこと

# 頻出ベスト44

# 部首

| 番号 | 漢字 | 部首 | 部首名 |
| --- | --- | --- | --- |
| 1 | 庁 | 广 | まだれ |
| 2 | 熟 | 灬 | れんが |
| 3 | 座 | 广 | まだれ |
| 4 | 陛 | 阝 | こざとへん |
| 5 | 盟 | 皿 | さら |
| 6 | 層 | 尸 | かばね |
| 7 | 閣 | 門 | もんがまえ |
| 8 | 冊 | 冂 | どうがまえ |
| 9 | 聖 | 耳 | みみ |
| 10 | 肺 | 月 | にくづき |
| 11 | 枚 | 木 | きへん |
| 12 | 署 | 罒 | あみがしら |
| 13 | 痛 | 疒 | やまいだれ |
| 14 | 蔵 | 艹 | くさかんむり |
| 15 | 我 | 戈 | ほこづくり |
| 16 | 届 | 尸 | かばね |
| 17 | 勤 | 力 | ちから |
| 18 | 郵 | 阝 | おおざと |
| 19 | 困 | 囗 | くにがまえ |
| 20 | 敬 | 攵 | のぶん |
| 21 | 宇 | 宀 | うかんむり |
| 22 | 劇 | 刂 | りっとう |
| 23 | 宗 | 宀 | うかんむり |
| 24 | 憲 | 心 | こころ |
| 25 | 創 | 刂 | りっとう |
| 26 | 郷 | 阝 | おおざと |
| 27 | 裁 | 衣 | ころも |
| 28 | 蒸 | 艹 | くさかんむり |
| 29 | 刻 | 刂 | りっとう |
| 30 | 拡 | 扌 | てへん |
| 31 | 簡 | ⺮ | たけかんむり |
| 32 | 胸 | 月 | にくづき |
| 33 | 誕 | 言 | ごんべん |
| 34 | 忠 | 心 | こころ |
| 35 | 宙 | 宀 | うかんむり |
| 36 | 泉 | 水 | みず |
| 37 | 欲 | 欠 | あくび |
| 38 | 盛 | 皿 | さら |
| 39 | 激 | 氵 | さんずい |
| 40 | 臓 | 月 | にくづき |
| 41 | 割 | 刂 | りっとう |
| 42 | 腹 | 月 | にくづき |
| 43 | 筋 | ⺮ | たけかんむり |
| 44 | 延 | 廴 | えんにょう |

**頻《ひん》出漢字だけ覚えたら他の対策を**

「部首」は漢字の部首と部首の読み方を答える問題。5級の頻《ひん》出漢字は決まっている。配点も10点と少ないので、頻《ひん》出リストを覚えたら、他の分野の対策に時間をかけよう。

# 頻出ベスト40

# 音と訓



ア　音と音
イ　音と訓
ウ　訓と訓
エ　訓と音

**1文字読みの「訓読み」に注意**

「音と訓」は読みの組合せを答える問題。訓読みは「さら」のように「その音だけで意味がわかる」読み方のこと。1文字の訓読み「手(て)、背(せ)、葉（は）、場（ば）」はまちがいやすいので注意。

| 番号 | 熟語 | 答え |
|---|---|---|
| 1 | 派手 | イ |
| 2 | 絹地 | エ |
| 3 | 若気 | エ |
| 4 | 絹製 | エ |
| 5 | 味方 | イ |
| 6 | 灰皿 | ウ |
| 7 | 砂山 | ウ |
| 8 | 湯気 | エ |
| 9 | 仕事 | イ |
| 10 | 針金 | ウ |
| 11 | 潮風 | ウ |
| 12 | 口紅 | ウ |
| 13 | 石段 | エ |
| 14 | 番組 | イ |
| 15 | 片道 | ウ |
| 16 | 手配 | エ |
| 17 | 生傷 | ウ |
| 18 | 役割 | イ |
| 19 | 針箱 | ウ |
| 20 | 係長 | エ |
| 21 | 土手 | イ |
| 22 | 窓口 | ウ |
| 23 | 傷口 | ウ |
| 24 | 割引 | ウ |
| 25 | 縦笛 | ウ |
| 26 | 巻物 | ウ |
| 27 | 節穴 | ウ |
| 28 | 筋道 | ウ |
| 29 | 新型 | イ |
| 30 | 背骨 | ウ |
| 31 | 背中 | ウ |
| 32 | 裏地 | エ |
| 33 | 係員 | エ |
| 34 | 茶柱 | イ |
| 35 | 本筋 | イ |
| 36 | 道順 | エ |
| 37 | 新顔 | イ |
| 38 | 温泉 | ア |
| 39 | 裏作 | エ |
| 40 | 残高 | イ |

# 本書で合格できる理由

「日本漢字能力検定」（以下、漢字検定）には、出題の傾《けい》向や効率的な学習のコツがあります。本書は、できるだけ最短距《きょ》離で合格するために、効果的に学習できる工夫が施《ほどこ》されています。

## ▼「新出配当漢字」以外も対策できる

漢字検定の対策は広く漢字を覚えることが重要です。漢字検定は、級があがるごとに出題される漢字が増えます。たとえば、5級の試験で出題対象となる漢字は1026字ですが、4級では更《さら》に313字増え、合計1339字となります。

その級で新たに出題対象となる漢字のことを、「新出配当漢字」と呼びます。試験では**出題分野によっては、新出配当漢字以外の字がよく出題される**こともあります。

実際に、下の表のように5級の「書き取り」の問題では、5級より下の級で登場した字も出題されています。

そのため、受検級の新出配当漢字だけを対策して試験に挑《いど》むと、本番の試験では意外と出題されなかった、ということもありえます。

本書は**その級で過去に出題された内容を基《もと》にした問題を数多く掲載《けいさい》しています。**新出配当漢字以外の漢字もしっかり押《お》さえておきましょう。

**「書き取り」出題回数ランキング（5級）**

| 順位 | 問題 | |
|---|---|---|
| 1位 | 盛る | 「盛」は5級 |
| 2位 | 巻く | 「巻」は5級 |
| 3位 | 姿 | 「姿」は5級 |
| 4位 | 俳句 | 「俳」は5級、「句」は6級 |
| 5位 | 忘れる | 「忘」は5級 |
| 6位 | 訳す | 「訳」は5級 |
| 7位 | 胸 | 「胸」は5級 |
| 8位 | 並べる | 「並」は5級 |
| 9位 | 暮れる | 「暮」は5級 |
| 10位 | 拝む | 「拝」は5級 |

## ▼よく出る問題から覚えられる

漢字検定の対策は「頻《ひん》出度」対応のテキストや問題集で学習するのが効率的です。

なぜなら、各級の試験で出題の対象となる漢字の量は膨《ぼう》大で、すべてを完ぺきに覚えるのはとてもたいへんだからです。5級でも1026字、2級なら2136字と、出題範《はん》囲は広く、時間がいくらあっても足りません。

ところが、出題傾《けい》向を分析《せき》すると**試験には出題されやすい問題というものがあります**。下の表のように、高頻《ひん》度で出題されている問題がある一方、過去十数年で1回しか出題されていないものや、1度も出題されたことがないものもあります。それらの出題頻《ひん》度が低い問題が次の試験で出題される確率は、かなり低いでしょう。

そのため、出題範《はん》囲の漢字を五十音順で覚えたり、過去問だけをひたすら解いていったりするのは、効率がよいとはいえません。

本書は、**過去10年分の過去問のなかから、試験によく出題されている問題を中心に収録**しています。次の試験で出題される確率が高い問題を解き、確実に得点につながる対策をしましょう。

**直近10年で出題回数が多い漢字（5級）**

| 問題 | 出題回数 |
|---|---|
| 郷 | 117 |
| 補 | 115 |
| 裏 | 109 |
| 厳 | 108 |
| 敬 | 107 |
| 幼 | 106 |
| 難 | 106 |
| 刻 | 102 |
| 段 | 102 |
| 筋 | 101 |

**直近10年で出題回数が少ない漢字（5級）**

| 問題 | 出題回数 |
|---|---|
| 俵 | 8 |
| 后 | 8 |
| 券 | 7 |
| 胃 | 6 |
| 腸 | 6 |
| 舌 | 5 |
| 承 | 3 |
| 恩 | 2 |
| 銭 | 1 |
| 仁 | 0 |

# おすすめ学習プラン

本書は、試験直前で対策を始める人、じっくり学習して万全に対策したい人、どちらにもお使いいただけるようにできています。試験本番までのおすすめ学習プラン例を紹介《しょうかい》します。

**申し込《こ》み**

試験の
3〜1か月前

## 短期集中プラン

1〜2週間で決める!

学習時間目安
2時間／1日

### 2週間前

★頻《ひん》出度A・Bを一巡《じゅん》する

- 赤チェックシートを使いながらまず解いてみる
- 解けなかった問題はチェックをつける
- 解けなかった書き問題は、正解をノートに書いて覚える

### 1週間前

★頻《ひん》出度A・Bの正解率を高める

- まずは頻《ひん》出度Aから、チェックをつけた問題の「読む・書く→解く」をくり返す
- 自信をもって解けるようになった問題には○をつける
- 頻《ひん》出度Aの8割が解けるようになったら、頻《ひん》出度Bのチェックをつけた問題に取り組む

## 長期じっくりプラン

1〜2か月で決める!

学習時間目安
30分／1日

### 2か月前

★頻《ひん》出度A・Bを一巡《じゅん》する

- 赤チェックシートを使いながらまず解いてみる
- 解けなかった問題はチェックをつける
- 解けなかった書き問題は、正解をノートに書き留める
- 学習する総ページ数を学習日数で割り、「毎日6ページやる」など と決めて習慣的に取り組む

### 1か月前

★頻《ひん》出度A・Bの正解率を高める

- まずは頻《ひん》出度Aから、チェックをつけた問題だけを解き直す。書き問題は、ノートに書き留めた正解をくり返し書いて覚える
- 自信をもって解けるようになった問題には○をつける
- 頻《ひん》出度Aの8割が解けるようになったら、頻《ひん》出度Bのチェックをつけた問題に取り組む

「頻《ひん》出漢字学習ポスター」をダウンロードし、移動中のすきま時間の学習にも活用しよう

## 3日前

**★模擬《ぎ》試験を解いて弱点を洗い出す**

・巻末の模擬《ぎ》試験を時間を計りながら解く
・採点してみて苦手だった分野は、頻《ひん》出度A・Bをもう一度復習する

頻《ひん》出度A・Bの正解率がまだ8割以下の人は、引き続きそちらも学習しよう

## 試験当日

**★チェックをつけた問題を直前確認**

・試験会場までの移動中や会場待機中に、最後まで○がつかなかった問題を確認する

巻頭ページの頻《ひん》出ベストをチェックするのもおすすめ

## 合格！

目標得点

**170**／200点

### 学習のポイント

すべて完ぺきにしようとせずに、頻《ひん》出度の高い問題の正解率を高めよう。最初に不正解だった問題は、その後解けるようになってもチェックを消さず、試験直前で再確認しよう。

## 2週間前

**★模擬《ぎ》試験を解いて、本番形式に慣れる**

・巻末の模擬《ぎ》試験を時間を計りながら解く
・採点してみて苦手だった分野は、頻《ひん》出度A・Bをもう一度復習する

## 1週間前

**★苦手問題を徹《てっ》底的につぶす**

・頻《ひん》出度A・Bがほぼ完ぺきになるまで、学習をくり返す
・頻《ひん》出度A～Bの、最初に解けずにチェックをつけた問題は、試験前に再度すべて確認する

『漢検要覧』にも目を通し、字体や書き順をまちがえて覚えていないか確認をしておくと安心

## 合格！

目標得点

**190**／200点

### 学習のポイント

2か月あれば準備期間は充《じゅう》分！ 計画を立て、習慣的に勉強を続けていくことが大事。チェックボックスを活用し、頻《ひん》出度A・B問題がすべてわかるようにしておこう。

※ここで紹介《しょうかい》しているのは本書を使用した効率的な学習方法の一例ですが、合格を保証するものではありません。

# 「漢字検定」受検ガイド

「漢字検定」の試験概《がい》要を紹介《しょうかい》します。解答する際の注意点や、出題分野、配点、検定実施《し》の時期などを確認して、自分なりの対策方法を考えてみましょう。

## ▼検定会場

全国47都道府県の主要都市。

## ▼検定実施《し》の時期

年3回（6月・10月・翌年1～2月中の日曜日）

※団体受検、CBT（パソコンによる受検）などの詳細は日本漢字能力検定協会にお問い合わせください。

## ▼申し込《こ》み方法

個人受検ではインターネットで専用サイトにアクセスして申し込む。クレジットカード、コンビニ決済、二次元コード決済で検定料を支払う。

手続き後、検定日の1週間前ごろまでに受検票が送られてきます。検定日の4日前になっても届かない場合は、日本漢字能力検定協会に問い合わせましょう。

合否結果は「検定結果通知」が郵送されるほか、WEBでも公開されます。

## ▼よくある質問

**Q 字体によって形が異なる字はどれが正しいの？**

A 「衣」の4画目の折り方など、活字のデザイン差がある漢字があります。漢字検定の解答で手本とすべき字体は、「教科書体」です。

**Q 答えが複数ある問題はどうすればいいの？**

A 試験の正答は日本漢字能力検定協会が判断しています。本書の標準解答は、過去の試験で標準解答として発表された字を掲載しています。正答については、『漢検要覧 2～10級対応』や『漢検 過去問題集』で確認しましょう。

**Q 試験の正解は何が基準になっているの？**

A 「部首」は『漢検要覧 2～10級対応』収録の「部首一覧表と部首別の常用漢字」が基準です。「筆順」の原則は文部省（現 文部科学省）編『筆順指導の手びき』、常用漢字の筆順は『漢検要覧 2～10級対応』収録の「常用漢字の筆順一覧」が基準になっています。

## ▼各級（準1～5級）の出題内容

※検定に関する情報は、過去の試験を弊《へい》社で独自に分析《せき》し作成したものです。

| | 準1級 | 2級 | 準2級 | 3級 | 4級 | 5級 |
|---|---|---|---|---|---|---|
| 主な対象学年（目安） | 大学・一般程度 | 高校卒業<br>大学・一般程度 | 高校<br>在学程度 | 中学校<br>卒業程度 | 中学校<br>在学程度 | 小学校6年生<br>修了程度 |
| 漢字の読み | 30点 | 30点 | 30点 | 30点 | 30点 | 20点 |
| 表外読み | 10点 | | | | | |
| 熟語と一字訓 | 10点 | | | | | |
| 漢字の書き取り | 40点 | 50点 | 50点 | 40点 | 40点 | 40点 |
| 四字熟語 | 30点 | 30点 | 30点 | 20点 | 20点 | 20点 |
| 故事・諺 | 20点 | | | | | |
| 対義語・類義語 | 20点 | 20点 | 20点 | 20点 | 20点 | 20点 |
| 共通の漢字 | 10点 | | | | | |
| 誤字訂正 | 10点 | 10点 | 10点 | 10点 | 10点 | |
| 文章題 | 20点 | | | | | |
| 送り仮名 | | 10点 | 10点 | 10点 | 10点 | 10点 |
| 同音・同訓異字 | | 20点 | 20点 | 30点 | 30点 | |
| 部首・部首名 | | 10点 | 10点 | 10点 | 10点 | 10点 |
| 熟語の構成 | | 20点 | 20点 | 20点 | 20点 | 20点 |
| 漢字識別 | | | | 10点 | 10点 | |
| 音と訓 | | | | | | 20点 |
| 同じ読みの漢字 | | | | | | 20点 |
| 熟語作り | | | | | | 10点 |
| 画数 | | | | | | 10点 |
| 合格基準 | 80%程度 | 80%程度 | 70%程度 | 70%程度 | 70%程度 | 70%程度 |
| 満点 | 200点 | 200点 | 200点 | 200点 | 200点 | 200点 |
| 検定時間 | 60分 | 60分 | 60分 | 60分 | 60分 | 60分 |

### 検定試験の問い合わせ先

**公益財団法人 日本漢字能力検定協会**

●フリーダイヤル 0120-509-315（土日・祝日・お盆《ぼん》・年末年始を除く 9:00 ～ 17:00）
　※検定日とその前日にあたる土日は窓口を開設
　※検定日は 9:00 ～ 18:00

●所在地
　〒605-0074 京都市東山区祇園町南側551番地　TEL 075-757-8600　FAX 075-532-1110

●ホームページ https://www.kanken.or.jp/

※実施《し》要項、申し込《こ》み方法等は変わることがあります。詳《しょう》細は協会ホームページなどでご確認ください。

※出題分野・内容（出題形式、問題数、配点）等は変わることがあります。実際に出題された内容については『漢検 過去問題集』（公益財団法人 日本漢字能力検定協会発行）を参照してください。

## 目次

かならず押さえる！

# 最頻出問題

## 第1章

頻出度

# A

かならず押さえる！
頻出度
# A
# 読み―①

目標正答率
95%

／40

※次の――線の読みをひらがなで記せ。

□1 潮風が心地よいテラスですずむ。
□2 母校が創設されて一世紀になる。
□3 今にもひと雨きそうな空模様だ。
□4 感情をこめて朗読してください。
□5 地元に新しい大学が誕生した。
□6 庭の木の若葉がおいしげっている。
□7 将来の夢を卒業文集に書く。
□8 片足で立ってバランスをとる。
□9 乳歯が永久歯に生えかわる。
□10 裁判官が判決を言いわたした。
□11 インドは紅茶の産地で有名だ。
□12 事件の背景には黒幕がいるらしい。
□13 今年から三年生の担任になります。
□14 蚕はクワの葉を食べる。
□15 尺八は竹で作られている。
□16 ここ数日、暖かい日が続く。
□17 名前を呼んだら返事してください。
□18 食事は腹八分目にしよう。

**標準解答**

1 しおかぜ
2 そうせつ
3 そらもよう
4 ろうどく
5 たんじょう
6 わかば
7 しょうらい
8 かたあし
9 にゅうし
10 さいばんかん
11 こうちゃ
12 はいけい
13 たんにん
14 かいこ
15 しゃくはち
16 あたた
17 よ
18 はら

□ 19 定規に**沿**って線を引く。

□ 20 食べ物が**胸**につかえる。

□ 21 平和を**乱**す行いは許されない。

□ 22 思い出を**刻**んだアルバムを開く。

□ 23 試合は**激**しいサーブの連続だった。

□ 24 敗北をいさぎよく**認**めた。

□ 25 **城**の周りには堀《ほり》がめぐらされている。

□ 26 北国では**厳**しい寒さが続いている。

□ 27 栄養不足を**補**うのは簡単ではない。

□ 28 受験勉強のため部長の役を**降**りた。

□ 29 作者の心情がこめられた**歌詞**だ。

□ 30 美しい田園風景を**俳句**によむ。

□ 31 **著名**な作家のエッセイを読む。

□ 32 **展示**会で掘《ほ》り出し物をみつけた。

□ 33 **街路樹**が色づきはじめた。

□ 34 かれは頭上のりんごを**射**ぬいた。

□ 35 ショックで寿命《じゅみょう》が**縮**む思いだ。

□ 36 ビルの完成に**延**べ三年かかった。

□ 37 限りある**資源**を次世代に引きつぐ。

□ 38 祖母の好物の団子を墓に**供**えた。

□ 39 父は商社に**勤**めています。

□ 40 山の**中腹**から水平線を見わたした。

| | |
|---|---|
| 19 | そ |
| 20 | むね |
| 21 | みだ |
| 22 | きざ |
| 23 | はげ |
| 24 | みと |
| 25 | しろ |
| 26 | きび |
| 27 | おぎな |
| 28 | お |
| 29 | かし |
| 30 | はいく |
| 31 | ちょめい |
| 32 | てんじ |
| 33 | がいろじゅ |
| 34 | い |
| 35 | ちぢ |
| 36 | の |
| 37 | しげん |
| 38 | そな |
| 39 | つと |
| 40 | ちゅうふく |

かならず押さえる！

頻出度

# A

## 読み ②

※ 次の——線の読みをひらがなで記せ。

□ 1 **規律**正しい集団生活が求められる。

□ 2 森の空気を思いっきり**吸**う。

□ 3 票が**割**れて選挙をやり直した。

□ 4 朝食は一日の元気の**源**だ。

□ 5 祖父は**諸国**を訪ね歩いた。

□ 6 駅前道路の**拡張**で混雑が減った。

□ 7 池でカエルの**卵**を見つけた。

□ 8 お昼は簡単な食事で**済**ます。

□ 9 花よめの**純白**のドレスがまぶしい。

□ 10 **裏庭**でニワトリを飼っている。

□ 11 姉は約束を**忘**れたことがない。

□ 12 体験者から**貴重**な話をうかがった。

□ 13 **背泳**ぎは個人メドレーの種目の一つだ。

□ 14 安易に人を**裁**いてはいけない。

□ 15 図書館が**所蔵**する資料を検索《さく》する。

□ 16 選手の活やくにみな**興奮**した。

□ 17 戦国**武将**ゆかりの地を訪ねる。

□ 18 このスキー場は**樹氷**で有名だ。

目標正答率
95%

／40

**標準解答**

1 きりつ
2 す
3 わ
4 みなもと
5 しょこく
6 かくちょう
7 たまご
8 す
9 じゅんぱく
10 うらにわ
11 わす
12 きちょう
13 せおよ
14 さば
15 しょぞう
16 こうふん
17 ぶしょう
18 じゅひょう

□ 19 母へのプレゼントを**探**す。
□ 20 勝利を**収**めたのは白組です。
□ 21 高校で**臨時**の講師をしています。
□ 22 **車窓**から広大な海をながめる。
□ 23 持ち**株**の値段が上がった。
□ 24 両国の**首脳**会談に注目が集まる。
□ 25 ペットが**拝**むようにエサをねだった。
□ 26 一度も負けずに**優勝**した。
□ 27 **泉**のそばで弁当を食べよう。
□ 28 千円札の**枚数**を数える。
□ 29 **潮**の流れがはやくて泳げない。
□ 30 時間が空いたので近所を**散策**した。
□ 31 **郷里**の母から手紙が届いた。
□ 32 **批評**家の意見はまちまちだった。
□ 33 旅行前に**綿密**な計画を立てた。
□ 34 買い手がつかず店を**閉**じる。
□ 35 **絹**織物は保温性が高い。
□ 36 電化製品の発達は**暮**らしを変えた。
□ 37 オリンピックの**聖火**がともる。
□ 38 景気の**推移**を注視する。
□ 39 政界に**憲法**改正の動きがある。
□ 40 明日は**創立**記念日で休校だ。

19 さが
20 おさ
21 りんじ
22 しゃそう
23 かぶ
24 しゅのう
25 おが
26 ゆうしょう
27 いずみ
28 まいすう
29 しお
30 さんさく
31 きょうり
32 ひひょう
33 めんみつ
34 と
35 きぬ
36 く
37 せいか
38 すいい
39 けんぽう
40 そうりつ

かならず押さえる！
頻出度
# A
# 読み③

※次の——線の読みをひらがなで記せ。

□ 1 文章で**簡潔**にまとめてください。
□ 2 大学での学びが私の知識の**源泉**だ。
□ 3 手料理を皿に**盛**りつける。
□ 4 父の**背中**が急に小さく見えた。
□ 5 世界**遺産**を次代に引きつぐ。
□ 6 寺院の入り口で**拝観**料をはらう。
□ 7 お金が足りなくて**困**っている。
□ 8 ぬい始める前に待ち**針**をさす。
□ 9 あまり**深刻**に考えないほうがいい。
□ 10 **秘境**ばかりとった写真集だ。
□ 11 **心臓**の手術が見事に成功した。
□ 12 **遊覧船**に乗って湖を一周する。
□ 13 校庭の**片**すみでウサギを飼う。
□ 14 機械の**操作**ならだれにも負けない。
□ 15 時代劇は**痛快**なところがいい。
□ 16 かれは**筋力**の強いたくましい青年だ。
□ 17 プロ野球シーズンの**開幕**だ。
□ 18 ごみを**捨**てる日は決められている。

目標正答率
95%
／40

**標準解答**

1 かんけつ
2 げんせん
3 も
4 せなか
5 いさん
6 はいかん
7 こま
8 ばり
9 しんこく
10 ひきょう
11 しんぞう
12 ゆうらんせん
13 かた
14 そうさ
15 つうかい
16 きんりょく
17 かいまく
18 す

□ 19 **宇宙**旅行も夢ではなくなった。
□ 20 国会では法案の**討論**がされている。
□ 21 **我**らが母校の校歌を口ずさむ。
□ 22 国連に**加盟**している先進国だ。
□ 23 生き物すべての命は**尊**い。
□ 24 毎年**誕生日**にはケーキを焼く。
□ 25 ジャムは冷蔵庫で**保存**する。
□ 26 行楽地の**穴場**を見つける。
□ 27 **縦書**きのノートで漢字を練習する。
□ 28 駅前は**大規模**工事で通行止めだ。
□ 29 荷物の受け取り証に**署名**する。
□ 30 新入社員は**若**さにあふれている。
□ 31 汽車が**蒸気**を上げて走ってきた。
□ 32 **流域**ごとにちがう農産物がとれる。
□ 33 **誤**って花を切り落としてしまった。
□ 34 **毎晩**決まった時間にねる。
□ 35 **担当**は週ごとにかわります。
□ 36 学生時代の**机**をいとこにゆずる。
□ 37 カブトムシの**幼虫**を見つけた。
□ 38 あせらずに実力を**発揮**してほしい。
□ 39 市民生活は**法律**で守られている。
□ 40 夕日で山が美しく**染**まる。

19 うちゅう
20 とうろん
21 われ
22 かめい
23 とうと(たっと)
24 たんじょうび
25 ほぞん
26 あなば
27 たてが
28 だいきぼ
29 しょめい
30 わか
31 じょうき
32 りゅういき
33 あやま
34 まいばん
35 たんとう
36 つくえ
37 ようちゅう
38 はっき
39 ほうりつ
40 そ

かならず押さえる！
頻出度
A

# 読み―④

目標正答率
95%
／40

※次の――線の読みをひらがなで記せ。

□1 計画の**規模**を縮小して考え直す。
□2 事業の合理化を**推進**する。
□3 古代の**地層**から化石が発見された。
□4 一人旅で東北地方を**歴訪**した。
□5 プレゼントを**包装**してもらった。
□6 おじは**肺**がんの手術をした。
□7 暑さのあまり**食欲**が低下している。
□8 **軽装**で冬山に入るのは危険だ。
□9 新**庁舎**への引っこしが決まった。
□10 **半熟**の卵と野菜をパンにはさむ。
□11 この用紙を**回覧**してください。
□12 城の**天守閣**を見上げる。
□13 万引きの犯人と**疑**われる。
□14 ガラス窓に夕焼けが**映**っている。
□15 テレビ番組の公開**収録**を見学した。
□16 クラス全員が出席番号順に**並**ぶ。
□17 激しい運動で背中の**筋**を痛めた。
□18 **純真**な目でものごとを見る。

**標準解答**

1 きぼ
2 すいしん
3 ちそう
4 れきほう
5 ほうそう
6 はい
7 しょくよく
8 けいそう
9 ちょうしゃ
10 はんじゅく
11 かいらん
12 てんしゅかく
13 うたが
14 うつ
15 しゅうろく
16 なら
17 すじ
18 じゅんしん

□ 19 正しい**姿勢**をこころがけて歩く。
□ 20 父の会社は**高層**ビル内にある。
□ 21 **合奏**はチームワークが大切だ。
□ 22 当然の**権利**を主張した。
□ 23 おいしい料理を**存分**に味わった。
□ 24 バス会社が**値上**げを計画している。
□ 25 人気**絶頂**期に引退したアイドルだ。
□ 26 宇宙は資源の**宝庫**だ。
□ 27 子どもが公園で**砂**遊びをしている。
□ 28 駅伝選手に**沿道**から声えんを送った。
□ 29 毎年**晩秋**のころに紅葉を見に行く。

□ 30 **臓器**移植の手術が始まった。
□ 31 自分でしぼった**牛乳**を飲んだ。
□ 32 日本語をフランス人に**通訳**する。
□ 33 心が**洗**われる名画だ。
□ 34 列車は**定刻**通りに終着駅に着いた。
□ 35 **独創的**な作品に世間が注目した。
□ 36 暮れに**障子**をはりかえた。
□ 37 **骨**付きのとり肉をオーブンで焼く。
□ 38 生徒が**班**に分かれて発表する。
□ 39 号令に**従**ってください。
□ 40 集合したら忘れずに**点呼**をとる。

19 しせい
20 こうそう
21 がっそう
22 けんり
23 ぞんぶん
24 ねあ
25 ぜっちょう
26 ほうこ
27 すな
28 えんどう
29 ばんしゅう
30 ぞうき
31 ぎゅうにゅう
32 つうやく
33 あら
34 ていこく
35 どくそうてき
36 しょうじ
37 ほね
38 はん
39 したが
40 てんこ

かならず押さえる！
頻出度
A

# 読み―⑤

目標正答率
95%

／40

※次の――線の読みをひらがなで記せ。

□1 アルバムは家族の**宝**物です。
□2 残業続きで**帰宅**時間がおそい。
□3 桜**並木**の散歩道が人でにぎわう。
□4 災害への**対策**が重要だ。
□5 店の中は**神秘的**な雰《ふん》囲気だった。
□6 君の**意欲**だけは認めよう。
□7 かれは**頭脳**めいせきだ。
□8 草原で牛の**乳**をしぼった。
□9 わたしのいなかは**養蚕**がさかんです。
□10 お年寄りをいたわるのは**善**い行いだ。
□11 表情はお**地蔵**様のようにおだやかだ。
□12 **川沿**いのレストランで食事をする。
□13 願いが神様に**届**くよういのる。
□14 **故障**の原因を調べる。
□15 山の中の静かな**温泉**を訪ねた。
□16 **納**められた税金がむだに使われる。
□17 大記録の**樹立**に観客がわいた。
□18 新しい経営**方針**が発表された。

**標準解答**

1 たから
2 きたく
3 なみき
4 たいさく
5 しんぴてき
6 いよく
7 ずのう
8 ちち
9 ようさん
10 よ
11 じぞう
12 かわぞ
13 とど
14 こしょう
15 おんせん
16 おさ
17 じゅりつ
18 ほうしん

19 お正月に神社へ**参拝**する。
20 大雨で幹線道路が**寸断**された。
21 地球は**太陽系**のわく星の一つである。
22 犬も歩けば**棒**にあたる。
23 激しい運動で**首筋**にあせが光る。
24 **株分**けした花を室内に飾《かざ》った。
25 **幼少**のころから多くの本を読んだ。
26 **警官**が近所をパトロールする。
27 イルカの**宙返**りに観客がどよめく。
28 年を重ねるにつれて**視力**が落ちた。
29 **宗教**に心の救いを求める。

30 次の選挙の**候補者**をしぼり込《こ》む。
31 **砂糖**を加えあまさを強める。
32 キツツキは木の**穴**に巣を作る。
33 **穀物**を害虫から守る薬を使う。
34 運動は楽しいが**危**ないこともある。
35 応えんの声が選手を**奮**い立たせた。
36 **幕**が上がって芝居《しば》が始まった。
37 快晴で山の**頂**がよく見える。
38 年長者には**敬語**を使う。
39 ある程度の**負担**はやむをえない。
40 世界の子どもの**人権**を考える。

19 さんぱい
20 すんだん
21 たいようけい
22 ぼう
23 くびすじ
24 かぶわ
25 ようしょう
26 けいかん
27 ちゅうがえ
28 しりょく
29 しゅうきょう
30 こうほしゃ
31 さとう
32 あな
33 こくもつ
34 あぶ
35 ふる
36 まく
37 いただき
38 けいご
39 ふたん
40 じんけん

かならず押さえる！
頻出度
A

# 読み―⑥

目標正答率
95%

／40

※次の――線の読みをひらがなで記せ。

□ 1 住民の意思を**反映**させた政策だ。

□ 2 雨で**翌日**の遠足は中止になった。

□ 3 中央線**沿線**のアパートに住む。

□ 4 **国宝**に指定されている城をめぐる。

□ 5 **推理**小説を読むのが好きだ。

□ 6 姉のドレス**姿**は美しかった。

□ 7 **値段**について問屋と交しょうする。

□ 8 卒業記念として桜の木を**植樹**した。

□ 9 二つの川の**源流**は同じだ。

□ 10 **窓**から入る光で目が覚めた。

□ 11 公園の**砂場**で園児が楽しく**遊**ぶ。

□ 12 とぐろを**巻**いたヘビを見た。

□ 13 立ち入りが禁止されている**区域**だ。

□ 14 試合中の事故で右足首を**負傷**した。

□ 15 雪の重みで枝が**垂**れる。

□ 16 動物の行動には必ず**訳**がある。

□ 17 区の**作品展**で入選を果たす。

□ 18 チャンピオンは**王座**を取りもどした。

**標準解答**

1 はんえい
2 よくじつ
3 えんせん
4 こくほう
5 すいり
6 すがた
7 ねだん
8 しょくじゅ
9 げんりゅう
10 まど
11 すなば
12 ま
13 くいき
14 ふしょう
15 た
16 わけ
17 さくひんてん
18 おうざ

□19 美術館内での**模写**は禁止です。

□20 **難**しい問題にちょうせんする。

□21 **頂上**には美しい花がさいていた。

□22 その画家は**晩年**をフランスで過ごした。

□23 バス路線の**系統**をまちがえる。

□24 友人の家を**訪**ねたら留守だった。

□25 **鋼鉄**のようにきたえられたうでだ。

□26 新しい**内閣**の顔ぶれがそろった。

□27 自分を育ててくれた両親を**尊敬**する。

□28 **幼**い妹の面どうをみる。

□29 村に**至**るまでの道のりは長い。

□30 ゴール**寸前**で転んでしまった。

□31 **傷**をおして試合に参加した。

□32 毎年**仮装**行列に参加している。

□33 弟は**縦**じまのシャツが似合う。

□34 要人を**警護**するのが父の仕事だ。

□35 **鉄筋**でコンクリートを補強する。

□36 天気がよいのでふとんを**干**そう。

□37 **遊覧**船は湖を一周する。

□38 **誤解**のないように説明した。

□39 迷ってないで**討議**すべきだ。

□40 機が**熟**すのをじっと待つ。

| | |
|---|---|
| 19 もしゃ | 30 すんぜん |
| 20 むずか | 31 きず |
| 21 ちょうじょう | 32 かそう |
| 22 ばんねん | 33 たて |
| 23 けいとう | 34 けいご |
| 24 たず | 35 てっきん |
| 25 こうてつ | 36 ほ |
| 26 ないかく | 37 ゆうらん |
| 27 そんけい | 38 ごかい |
| 28 おさな | 39 とうぎ |
| 29 いた | 40 じゅく |

かならず押さえる！

頻出度

# A 書き取り―①

目標正答率
80%

／40

※次の――線のカタカナを漢字に直せ。

□ 1 スジのような飛行機雲をながめる。

□ 2 機械の安全ソウチが作動する。

□ 3 カンバンを書きかえて目立たせた。

□ 4 新しい大統領がシュウニンした。

□ 5 タマゴからひながかえった。

□ 6 健康こそがなによりのタカラだ。

□ 7 災害に有効なタイサクを講じる。

□ 8 新商品を店頭にナラべた。

□ 9 慣れない電子機器で操作にコマる。

□ 10 元日をノゾいて毎日営業している。

□ 11 あまりの感動にワレを忘れる。

□ 12 食料を倉庫にチョゾウする。

□ 13 外国の友人からユウビンが届いた。

□ 14 花を墓にソナえる。

□ 15 目指す山のイタダキが見えた。

□ 16 焼き肉の上にレモンをタらした。

□ 17 シイタケを天日にホす。

□ 18 この絵は祖父のイサンだ。

**標準解答**

| | |
|---|---|
| 1 筋 | 10 除 |
| 2 装置 | 11 我 |
| 3 看板 | 12 貯蔵 |
| 4 就任 | 13 郵便 |
| 5 卵 | 14 供 |
| 6 宝 | 15 頂 |
| 7 対策 | 16 垂 |
| 8 並 | 17 干 |
| 9 困 | 18 遺産 |

□19 試合の前夜はとてもコウフンした。
□20 キチョウな財産を火災から守る。
□21 台風で電車のダイヤがミダれる。
□22 食事の前に必ず手をアラう。
□23 ハゲしい運動で体力をすり減らした。
□24 トウロン会に多数の人が参加した。
□25 文化祭でゲキを演じた。
□26 晩ご飯はハラ八分目を心がける。
□27 車両のコショウで電車が運休した。
□28 新しい歴史の一ページをキザむ。
□29 たがいの作品をヒヒョウし合う。
□30 正しいシセイで勉強しなさい。
□31 おにぎりをのりでマく。
□32 新薬が絶大な効果をハッキした。
□33 美術館に著名な絵がテンジされる。
□34 ボウグラフで成績を比べる。
□35 日本人初のウチュウ飛行士だ。
□36 この道路はカクチョウする予定だ。
□37 通路側のザセキをゆずってもらう。
□38 弟はウタガい深い性格だ。
□39 夕焼けに山がハえる。
□40 君子アヤうきに近寄らず。

19 興奮
20 貴重
21 乱
22 洗
23 激
24 討論
25 劇
26 腹
27 故障
28 刻
29 批評
30 姿勢
31 巻
32 発揮
33 展示
34 棒
35 宇宙
36 拡張
37 座席
38 疑
39 映
40 危

かならず押さえる！
頻出度
A

# 書き取り―②

目標正答率
80%

／40

※次の――線のカタカナを漢字に直せ。

□1 坂を上ると富士山が**スガタ**を現した。
□2 昨日言われたことをもう**ワス**れた。
□3 遠方の友人から手紙が**トド**いた。
□4 **テツボウ**の逆上がりが苦手だ。
□5 平均台は**タイソウ**種目の一つだ。
□6 人前でピアノを**ドクソウ**する。
□7 はじめて**ハイク**をよんだ。
□8 学校の**ウラニワ**で草むしりをする。
□9 全校生徒の前で詩を**ロウドク**する。
□10 **コウソウ**ビルの建設ラッシュが続く。
□11 皿に料理を美しく**モ**りつける。
□12 川には**キケン**がひそんでいる。
□13 **ショウライ**の夢について語り合う。
□14 大会で**ユウショウ**するのが夢だ。
□15 友人をあだ名で**ヨ**ぶ。
□16 わが子は目に入れても**イタ**くない。
□17 目的地までの**ウンチン**を調べる。
□18 **フクソウ**の規定が厳しい学校だ。

標準解答

1 姿
2 忘
3 届
4 鉄棒
5 体操
6 独奏
7 俳句
8 裏庭
9 朗読
10 高層
11 盛
12 危険
13 将来
14 優勝
15 呼
16 痛
17 運賃
18 服装

□ 19 的をイた発言をする。
□ 20 カイコはクワの葉を食べて成長する。
□ 21 明るいマドべで草花を育てる。
□ 22 長年ツトめた会社を定年退職する。
□ 23 書店で単行本を五サツ買った。
□ 24 舞《ぶ》台のマクが上がり、曲が始まる。
□ 25 事故に至ったハイケイを探る。
□ 26 事件のヨクジツに記者会見を開く。
□ 27 コトなった意見を一つにまとめる。
□ 28 三つのハンに分かれて行動する。
□ 29 分厚い本だがそのカチがある。

□ 30 墓参りをして祖先をウヤマう。
□ 31 コーヒーにサトウを入れる。
□ 32 朝礼でタテ一列に並ぶ。
□ 33 たがいに自由とケンリを認め合う。
□ 34 祖父は自社の持ちカブを手放した。
□ 35 病気の妹をカンゴする。
□ 36 イズミの冷たい水を飲んだ。
□ 37 風力発電のスイシンに努める。
□ 38 キヌのパジャマはねごこちがよい。
□ 39 北極星はこぐまザの星だ。
□ 40 強い風雨で歩くのにホネが折れる。

19 射
20 蚕
21 窓辺
22 勤
23 冊
24 幕
25 背景
26 翌日
27 異
28 班
29 価値

30 敬
31 砂糖
32 縦
33 権利
34 株
35 看護
36 泉
37 推進
38 絹
39 座
40 骨

かならず押さえる！

頻出度

# A 書き取り③

目標正答率 80%

／40

※次の――線のカタカナを漢字に直せ。

□ 1 マドからは海辺の景色が見える。

□ 2 夜空を見上げてセイザを見つける。

□ 3 事故にあって命がチヂまる思いだ。

□ 4 雨のため運動会をエンキする。

□ 5 商店街の組合にカメイした。

□ 6 時間におくれて申しワケない。

□ 7 ムネをはって大きな声で歌おう。

□ 8 ジシャクを使って方角を調べる。

□ 9 答案用紙のマイスウが足りない。

□ 10 駅へイタる県道を進む。

□ 11 罪を犯した者を法によってサバく。

□ 12 雨がやんで警報がカイジョされた。

□ 13 音楽室でガッソウの練習をする。

□ 14 校長先生の言葉にカンゲキした。

□ 15 手がかりから犯人をスイリする。

□ 16 冬は日がクれるのが早い。

□ 17 日本の近代をセンモンに研究する。

□ 18 小川にソった並木道を行く。

**標準解答**

| | |
|---|---|
| 1 窓 | 10 至 |
| 2 星座 | 11 裁 |
| 3 縮 | 12 解除 |
| 4 延期 | 13 合奏 |
| 5 加盟 | 14 感激 |
| 6 訳 | 15 推理 |
| 7 胸 | 16 暮 |
| 8 磁石 | 17 専門 |
| 9 枚数 | 18 沿 |

頻出度 A

□ 19 プレゼント用のホウソウをたのむ。
□ 20 新しい法案についてギロンする。
□ 21 初日の出をオガみに出かけた。
□ 22 チーズの原料はギュウニュウだ。
□ 23 書類はツクエの上に置きました。
□ 24 屋根裏部屋にはカイダンでいける。
□ 25 先生の家をホウモンする。
□ 26 五輪大会でセイカをリレーする。
□ 27 スキーで足をコッセツし入院した。
□ 28 海は自然のめぐみのホウコだ。
□ 29 国の財政のカイカクに着手する。

□ 30 たくみな技法でキヌイトを染める。
□ 31 上級生のシキで校歌を合唱した。
□ 32 油絵のテンラン会を見に行く。
□ 33 シャクハチの音色が心にひびく。
□ 34 深コキュウして気持ちをしずめた。
□ 35 こちらはワタクシの祖母です。
□ 36 坂を上がるとシカイが開けた。
□ 37 タンニンの先生に伝えなさい。
□ 38 コンクリートのかべはハイイロだ。
□ 39 人口ミツドが高まっている。
□ 40 果物をレイゾウ庫に保存する。

| | | | | | | | | | | |
|---|---|---|---|---|---|---|---|---|---|---|
| 19 包装 | 20 議論 | 21 拝 | 22 牛乳 | 23 机 | 24 階段 | 25 訪問 | 26 聖火 | 27 骨折 | 28 宝庫 | 29 改革 |
| 30 絹糸 | 31 指揮 | 32 展覧 | 33 尺八 | 34 呼吸 | 35 私 | 36 視界 | 37 担任 | 38 灰色 | 39 密度 | 40 冷蔵 |

かならず押さえる！
頻出度
A

# 書き取り④

目標正答率
80%
／40

※次の——線のカタカナを漢字に直せ。

□1 余興でしゃみせんをエンソウする。
□2 シロの庭園は迷《めい》路のようだ。
□3 栄養をサプリメントでオギナう。
□4 がけくずれで通行がコンナンになる。
□5 マイバンきまって十時にねる。
□6 午後には雨がフり出しそうだ。
□7 全国各地のオンセンをめぐる。
□8 空港のケイビ員としてはたらく。
□9 宿題をスませてから遊びに行く。
□10 郷《ごう》に入っては郷にシタガえ。
□11 大勢のカンシュウでうまった。
□12 オサナいころの思い出をたどる。
□13 見かけよりタンジュンなクイズだ。
□14 受験生の面接係をタントウする。
□15 国に多額の税金をオサめる。
□16 すぐれたズノウの持ち主だ。
□17 箱の中の不要なものをステる。
□18 会員センヨウのプールで泳ぐ。

**標準解答**

| | |
|---|---|
| 1 演奏 | 10 従 |
| 2 城 | 11 観衆 |
| 3 補 | 12 幼 |
| 4 困難 | 13 単純 |
| 5 毎晩 | 14 担当 |
| 6 降 | 15 納 |
| 7 温泉 | 16 頭脳 |
| 8 警備 | 17 捨 |
| 9 済 | 18 専用 |

□19 海辺の遊歩道をサンサクする。
□20 息ぬきに外の空気をスった。
□21 主題をカンケツにまとめなさい。
□22 動植物を保護して生態ケイを守る。
□23 歌手がハデなドレスで登場する。
□24 ネズミがアナの中にかくれる。
□25 人助けはヨいことです。
□26 寄宿生の外出をミトめる。
□27 周辺は工場のミッシュウ地だ。
□28 ヘビー級のオウザにつく。
□29 映画ハイユウとして成功する。

□30 結論をヨクシュウに持ちこす。
□31 子馬のタンジョウに立ち合う。
□32 大きな声で開会をセンゲンする。
□33 コウハクの水引は祝い事に使う。
□34 シキュウお電話ください。
□35 米や麦はコクモツの一種だ。
□36 セスジをのばしていすにすわる。
□37 台風で川のリュウイキは水びたしだ。
□38 店のカイソウ工事が始まった。
□39 目上の人にはケイゴを使う。
□40 イシダンを上りきるとわが家がある。

19 散策
20 吸
21 簡潔
22 系
23 派手
24 穴
25 善
26 認
27 密集
28 王座
29 俳優

30 翌週
31 誕生
32 宣言
33 紅白
34 至急
35 穀物
36 背筋
37 流域
38 改装
39 敬語
40 石段

かならず押さえる！
頻出度
A

# 四字熟語—①

※次の——線のカタカナを漢字に直し、四字熟語を完成させよ。

□1 天変地**イ**［自然界に起こる変事］
□2 **セン**門学校［特定の分野を学ぶ学校］
□3 **ウ**宙旅行［う宙を旅すること］
□4 永久保**ゾン**［いつまでも長くとっておくこと］
□5 世**ロン**調査［世間いっぱんの意見を調査すること］
□6 学習意**ヨク**［学ぶことへの積極的な気持ち］
□7 **ユウ**便配達［ゆう便物を配り届けること］
□8 水玉**モ**様［小さな円を散らした図がら］
□9 **フ**担軽減［荷を軽くすること］
□10 **カブ**式会社［かぶぬしで組織された会社］
□11 公**シュウ**道徳［社会の一員として守るべきこと］
□12 実力発**キ**［持ち前の力を十分に表し出すこと］
□13 南極**タン**検［南極大陸を実際に調査・研究すること］
□14 **ソウ**立記念［学校などができた日を思い起こし心を新たにすること］
□15 有名無**ジツ**［評判と実際がちがうこと］
□16 **キョウ**土料理［その地方特有の料理］
□17 器械体**ソウ**［鉄棒や平均台など器械を使う体そう］
□18 平和宣**ゲン**［戦争を終結させる表明］

目標正答率
80%
／40

## 標準解答

1 天《てん》変《ぺん》地《ち》異《い》
2 専《せん》門《もん》学《がっ》校《こう》
3 宇《う》宙《ちゅう》旅《りょ》行《こう》
4 永《えい》久《きゅう》保《ほ》存《ぞん》
5 世《よ》論《ろん》調《ちょう》査《さ》
6 学《がく》習《しゅう》意《い》欲《よく》
7 郵《ゆう》便《びん》配《はい》達《たつ》
8 水《みず》玉《たま》模《も》様《よう》
9 負《ふ》担《たん》軽《けい》減《げん》
10 株《かぶ》式《しき》会《がい》社《しゃ》
11 公《こう》衆《しゅう》道《どう》徳《とく》
12 実《じつ》力《りょく》発《はっ》揮《き》
13 南《なん》極《きょく》探《たん》検《けん》
14 創《そう》立《りつ》記《き》念《ねん》
15 有《ゆう》名《めい》無《む》実《じつ》
16 郷《きょう》土《ど》料《りょう》理《り》
17 器《き》械《かい》体《たい》操《そう》
18 平《へい》和《わ》宣《せん》言《げん》

□ 19 応急ショ置 ［急場しのぎで行う手当て］

□ 20 国民主ケン ［国の政治のあり方を国民が決めること］

□ 21 臓器イ植 ［体の器官をうつしかえること］

□ 22 半シン半疑 ［本当かどうか迷うこと］

□ 23 ギ術革新 ［科学を応用し制度や組織を新しくする］

□ 24 ユ断大敵 ［気をゆるめると失敗を招くので気をつけるといういましめ］

□ 25 蒸気キ関 ［熱エネルギーにより動力を得る機関の一つ］

□ 26 チョク射日光 ［まともにさす太陽光線］

□ 27 シュ脳会談 ［中心に立つ者の公な話し合い］

□ 28 シン小棒大 ［物事を実際より大げさに言うこと］

□ 29 絶体絶メイ ［せっぱつまった状態］

□ 30 大器晩セイ ［大人物はおくれて頭角を現す］

□ 31 心機一テン ［何かをきっかけに気持ちが変わること］

□ 32 自給自ソク ［必要な物を自分で生産しまかなう］

□ 33 自画自サン ［自分で自分をほめること］

□ 34 リン機応変 ［なりゆきに応じて適切な処置をする］

□ 35 言語道ダン ［ことばで表せないほどひどいこと］

□ 36 一キョ両得 ［一つの事をして二つの利益を得る］

□ 37 完全無ケツ ［どこから見ても短所がないこと］

□ 38 タン刀直入 ［前置きなしに本題に入る］

□ 39 カク張工事 ［はばを広げて大きくするための工事］

□ 40 公シュウ衛生 ［人々の健康を守るための社会的活動］

19 応急処置《おうきゅうしょち》
20 国民主権《こくみんしゅけん》
21 臓器移植《ぞうきいしょく》
22 半信半疑《はんしんはんぎ》
23 技術革新《ぎじゅつかくしん》
24 油断大敵《ゆだんたいてき》
25 蒸気機関《じょうききかん》
26 直射日光《ちょくしゃにっこう》
27 首脳会談《しゅのうかいだん》
28 針小棒大《しんしょうぼうだい》
29 絶体絶命《ぜったいぜつめい》
30 大器晩成《たいきばんせい》
31 心機一転《しんきいってん》
32 自給自足《じきゅうじそく》
33 自画自賛《じがじさん》
34 臨機応変《りんきおうへん》
35 言語道断《ごんごどうだん》
36 一挙両得《いっきょりょうとく》
37 完全無欠《かんぜんむけつ》
38 単刀直入《たんとうちょくにゅう》
39 拡張工事《かくちょうこうじ》
40 公衆衛生《こうしゅうえいせい》

かならず押さえる！
頻出度
# A
# 四字熟語——②

目標正答率
80%

／40

※次の——線のカタカナを漢字に直し、四字熟語を完成させよ。

□ 1 ウ宙遊泳　［う宙飛行士がう宙船の外で活動すること］
□ 2 玉石コン交　［よいものと悪いものが入りまじること］
□ 3 月刊雑シ　［毎月一回発刊される雑し］
□ 4 書留ユウ便　［現金などを送る際に使うゆう便サービス］
□ 5 反シャ神経　［とっさの動きに反応する能力］
□ 6 空前ゼツ後　［非常にまれなこと］
□ 7 キ急存亡　［生き残りをかけたせとぎわのこと］
□ 8 高ソウ建築　［高く建てられた構造物］
□ 9 リン時列車　［特別に運行される列車］
□ 10 景気対サク　［景気を回復させるための計画］
□ 11 エン岸漁業　［海岸の近くで行う漁業］
□ 12 明ロウ快活　［明るく元気のある様子］
□ 13 首ノウ会議　［集団のトップが集まって話し合うこと］
□ 14 独立セン言　［アメリカが独立の際に発したせん言］
□ 15 永久ジ石　［じ力をいつまでも保ったじ石］
□ 16 政トウ政治　［政とうが議会を支配する政治］
□ 17 信号無シ　［交通信号を無しすること］
□ 18 セン門用語　［特定の分野で使われることば］

**標準解答**

1 宇宙遊泳《うちゅうゆうえい》
2 玉石混交《ぎょくせきこんこう》
3 月刊雑誌《げっかんざっし》
4 書留郵便《かきとめゆうびん》
5 反射神経《はんしゃしんけい》
6 空前絶後《くうぜんぜつご》
7 危急存亡《ききゅうそんぼう》
8 高層建築《こうそうけんちく》
9 臨時列車《りんじれっしゃ》
10 景気対策《けいきたいさく》
11 沿岸漁業《えんがんぎょぎょう》
12 明朗快活《めいろうかいかつ》
13 首脳会議《しゅのうかいぎ》
14 独立宣言《どくりつせんげん》
15 永久磁石《えいきゅうじしゃく》
16 政党政治《せいとうせいじ》
17 信号無視《しんごうむし》
18 専門用語《せんもんようご》

□ 19 体ソウ競技 〔演技の得点を争うスポーツ〕

□ 20 コク物倉庫 〔農作物を保管しておく建物〕

□ 21 文化遺サン 〔将来のためにけい承される過去の文化〕

□ 22 ユウ先座席 〔お年寄りなどをゆう先すべき座席〕

□ 23 私リ私欲 〔自分のり益だけを考え望むこと〕

□ 24 大同小イ 〔だいたい同じこと〕

□ 25 臨時休ギョウ 〔定休日以外に休むこと〕

□ 26 予防注シャ 〔予防接種の注しゃ〕

□ 27 栄養ホ給 〔不足した栄養をおぎなうこと〕

□ 28 国際親ゼン 〔国同士が仲良くすること〕

□ 29 暴風ケイ報 〔激しい風に注意するよう知らせること〕

□ 30 宇チュウ飛行 〔地球の大気けん外での飛行〕

□ 31 鉄道モ型 〔電車などに形を似せてつくったもの〕

□ 32 議ロン百出 〔様々な意見をたがいに述べ合うこと〕

□ 33 キ楽合奏 〔複数の楽きを合わせて曲をかなでる〕

□ 34 複雑コッ折 〔外にも損傷のあるこっ折〕

□ 35 ショ名活動 〔意見などに同意する記名を集める行動〕

□ 36 生ゾン競争 〔社会での生活や地位をめぐる競争〕

□ 37 タン純明快 〔はっきりしてわかりやすいこと〕

□ 38 検トウ課題 〔よく調べたり考えたりすべき問題〕

□ 39 人口ミツ度 〔単位面積当たりの人口〕

□ 40 速達ユウ便 〔一般のゆう便より速く配達するサービス〕

19 体《たい》操《そう》競《きょう》技《ぎ》
20 穀《こく》物《もつ》倉《そう》庫《こ》
21 文《ぶん》化《か》遺《い》産《さん》
22 優《ゆう》先《せん》座《ざ》席《せき》
23 私《し》利《り》私《し》欲《よく》
24 大《だい》同《どう》小《しょう》異《い》
25 臨《りん》時《じ》休《きゅう》業《ぎょう》
26 予《よ》防《ぼう》注《ちゅう》射《しゃ》
27 栄《えい》養《よう》補《ほ》給《きゅう》
28 国《こく》際《さい》親《しん》善《ぜん》
29 暴《ぼう》風《ふう》警《けい》報《ほう》
30 宇《う》宙《ちゅう》飛《ひ》行《こう》
31 鉄《てつ》道《どう》模《も》型《けい》
32 議《ぎ》論《ろん》百《ひゃく》出《しゅつ》
33 器《き》楽《がく》合《がっ》奏《そう》
34 複《ふく》雑《ざつ》骨《こっ》折《せつ》
35 署《しょ》名《めい》活《かつ》動《どう》
36 生《せい》存《ぞん》競《きょう》争《そう》
37 単《たん》純《じゅん》明《めい》快《かい》
38 検《けん》討《とう》課《か》題《だい》
39 人《じん》口《こう》密《みつ》度《ど》
40 速《そく》達《たつ》郵《ゆう》便《びん》

かならず押さえる！
頻出度

# A 四字熟語③

目標正答率 80%

／40

※次の――線のカタカナを漢字に直し、四字熟語を完成させよ。

□ 1 規ボ拡大 〔組織などを大きくすること〕
□ 2 自己負タン 〔その人自身が義務を負うこと〕
□ 3 教育改カク 〔教育制度などを大きく変えること〕
□ 4 災害対サク 〔災害に対応するための手段〕
□ 5 温ダン前線 〔広い地域に雨を降らせる気象現象の一つ〕
□ 6 人間国ホウ 〔重要無形文化財保持者のこと〕
□ 7 シ捨五入 〔計算で数を処理する方法の一つ〕
□ 8 キョウ土芸能 〔各地の民間に伝承され演じられるもの〕
□ 9 集合住タク 〔複数世帯が集合して住んでいる建物〕
□ 10 家庭ホウ問 〔生活の場所にたずねること〕
□ 11 シュウ職活動 〔職業につくためにする活動〕
□ 12 学級日シ 〔毎日書かれるクラスの記録〕
□ 13 円形ゲキ場 〔観客席が円の形に並んだげき場〕
□ 14 異ク同音 〔大勢がみな同じ事を言うこと〕
□ 15 団体ワリ引 〔大勢で利用すると価格をわり引くこと〕
□ 16 キン務時間 〔出きんから退きんまでの時間〕
□ 17 時間ゲン守 〔決められた時間をきびしく守ること〕
□ 18 テン地創造 〔旧約聖書にえがかれた世界観〕

## 標準解答

1 規《き》模《ぼ》拡《かく》大《だい》
2 自《じ》己《こ》負《ふ》担《たん》
3 教《きょう》育《いく》改《かい》革《かく》
4 災《さい》害《がい》対《たい》策《さく》
5 温《おん》暖《だん》前《ぜん》線《せん》
6 人《にん》間《げん》国《こく》宝《ほう》
7 四《し》捨《しゃ》五《ご》入《にゅう》
8 郷《きょう》土《ど》芸《げい》能《のう》
9 集《しゅう》合《ごう》住《じゅう》宅《たく》
10 家《か》庭《てい》訪《ほう》問《もん》
11 就《しゅう》職《しょく》活《かつ》動《どう》
12 学《がっ》級《きゅう》日《にっ》誌《し》
13 円《えん》形《けい》劇《げき》場《じょう》
14 異《い》口《く》同《どう》音《おん》
15 団《だん》体《たい》割《わり》引《びき》
16 勤《きん》務《む》時《じ》間《かん》
17 時《じ》間《かん》厳《げん》守《しゅ》
18 天《てん》地《ち》創《そう》造《ぞう》

□ 19 価値ハン断 [ある物事のねうちを決めること]

□ 20 保ゾン状態 [もとのありさまを保っている様子]

□ 21 宇チュウ空間 [すべての天体をふくむ空間]

□ 22 キ険信号 [物事が悪化することを暗示するちょう候]

□ 23 ユウ先順位 [物事に着手する順序]

□ 24 社会保ショウ [生活を安定させるための社会の仕組み]

□ 25 公シュウ電話 [駅や街中などに設けた電話]

□ 26 地下資ゲン [地中にうまった金属などの資げん]

□ 27 安全セン言 [危険がなくなったことを発表すること]

□ 28 セン業農家 [農業収入だけで生活する農家]

□ 29 通学区イキ [学校ごとに定められた区いき]

□ 30 一心フ乱 [わきめもふらず一つのことに集中する]

□ 31 署名運ドウ [賛同する多くの人の記名を集めること]

□ 32 一進一タイ [状態がよくなったり悪くなったりする]

□ 33 酸ソ吸入 [こ吸困難を助ける方法の一つ]

□ 34 精ミツ検査 [細かく正確に検査すること]

□ 35 実験ソウ置 [実験するための機器や道具]

□ 36 自然イ産 [後世に残すべき美しい景観や動植物]

□ 37 人体モ型 [人間の体をまねて作ったもの]

□ 38 情報提キョウ [情報などを他人のために差し出すこと]

□ 39 方位ジ針 [じしゃくの働きで方角を知るための道具]

□ 40 ユウ便切手 [料金をはらったあかしとしてゆう便物にはる印紙]

19 価《か》値《ち》判《はん》断《だん》
20 保《ほ》存《ぞん》状《じょう》態《たい》
21 宇《う》宙《ちゅう》空《くう》間《かん》
22 危《き》険《けん》信《しん》号《ごう》
23 優《ゆう》先《せん》順《じゅん》位《い》
24 社《しゃ》会《かい》保《ほ》障《しょう》
25 公《こう》衆《しゅう》電《でん》話《わ》
26 地《ち》下《か》資《し》源《げん》
27 安《あん》全《ぜん》宣《せん》言《げん》
28 専《せん》業《ぎょう》農《のう》家《か》
29 通《つう》学《がく》区《く》域《いき》

30 一《いっ》心《しん》不《ふ》乱《らん》
31 署《しょ》名《めい》運《うん》動《どう》
32 一《いっ》進《しん》一《いっ》退《たい》
33 酸《さん》素《そ》吸《きゅう》入《にゅう》
34 精《せい》密《みっ》検《けん》査《さ》
35 実《じっ》験《けん》装《そう》置《ち》
36 自《し》然《ぜん》遺《い》産《さん》
37 人《じん》体《たい》模《も》型《けい》
38 情《じょう》報《ほう》提《てい》供《きょう》
39 方《ほう》位《い》磁《じ》針《しん》
40 郵《ゆう》便《びん》切《きっ》手《て》

かならず押さえる!
頻出度
A

# 送りがな

目標正答率 85%

／40

※次の——線のカタカナを漢字と送りがな（ひらがな）に直せ。

□1 オサナイ子が母と遊んでいる。
□2 夕焼けで空が真っ赤にソマッている。
□3 足りない栄養を野菜でオギナウ。
□4 父はキビシイ表情をうかべた。
□5 川遊びはアブナイので気をつける。
□6 道路にごみをステテはいけません。
□7 両親の意見にシタガウ。
□8 ハゲシクいかりをぶちまけた。
□9 休日には川でつり糸をタラス。
□10 友人の言葉に心をミダス。
□11 休日は祖父と五目ナラベをする。
□12 時間通りに水門をシメル。
□13 試験で満点を取るのはムズカシイ。
□14 すてきな思い出を心にキザミこむ。
□15 山に登って初日の出をオガム。
□16 墓に季節の花をソナエル。
□17 取り調べで犯行事実をミトメタ。
□18 先頭ランナーとのきょりをチヂメル。

**標準解答**

1 幼い
2 染まっ
3 補う
4 厳しい
5 危ない
6 捨てて
7 従う
8 激しく
9 垂らす
10 乱す
11 並べ
12 閉める
13 難しい
14 刻み
15 拝む
16 供える
17 認めた
18 縮める

□ 19 **イタミ**にたえかね病院へかけこんだ。

□ 20 兄は祖父を**ウヤマッ**て大事にした。

□ 21 罪を犯し法の**サバキ**を受ける。

□ 22 報告書の内容に**ウタガイ**をいだく。

□ 23 春になって池の氷が**ワレル**。

□ 24 小さいころはよく親を**コマラセ**た。

□ 25 用事を**スマセ**たので帰宅した。

□ 26 年の**クレデ**あわただしい日が続く。

□ 27 集まった現金を金庫に**オサメル**。

□ 28 兄弟で考え方が大きく**コトナル**。

□ 29 庭の**イタル**所に花をさかせよう。

□ 30 つらいことは早く**ワスレ**たほうがいい。

□ 31 **ワカイ**人から活力をもらおう。

□ 32 色とりどりの木々が湖面に**ウツル**。

□ 33 食事の前には必ず手を**アラウ**。

□ 34 **トドイ**た手紙に返事を書いた。

□ 35 野菜に付いた害虫を取り**ノゾク**。

□ 36 科学や研究の目的を**アヤマル**な。

□ 37 母は保育園に**ツトメ**ている。

□ 38 土地の権利書を銀行に**アズケル**。

□ 39 **アタタカイ**日がしばらく続いた。

□ 40 順番に名前が**ヨバレ**る。

| | | | | | | | | | | |
|---|---|---|---|---|---|---|---|---|---|---|
| 19 痛み | 20 敬っ | 21 裁き | 22 疑い | 23 割れる | 24 困らせ | 25 済ませ | 26 暮れで | 27 納める | 28 異なる | 29 至る |
| 30 忘れ | 31 若い | 32 映る | 33 洗う | 34 届い | 35 除く | 36 誤る | 37 勤め | 38 預ける | 39 暖かい | 40 呼ばれ |

かならず押さえる！
頻出度
A

# 音と訓―①

※次の熟語の読みは下記の［　］の中のどの組み合わせになっているか、ア～エの記号で答えよ。

ア　音と音
イ　音と訓
ウ　訓と訓
エ　訓と音

□1　裏地
□2　割引
□3　誤答
□4　派手
□5　絹製
□6　沿岸
□7　遺産
□8　若気
□9　蒸発
□10　新顔
□11　牛乳
□12　布地
□13　批評
□14　縦笛
□15　裁判
□16　札束
□17　片道
□18　相棒

目標正答率
75%
／45

**標準解答**

1　エ
2　ウ
3　ア
4　イ
5　エ
6　ア
7　ア
8　エ
9　ア
10　イ
11　ア
12　エ
13　ア
14　ウ
15　ア
16　イ
17　ウ
18　エ

□ 19 番組
□ 20 絹地
□ 21 図星
□ 22 口紅
□ 23 仕事
□ 24 残高
□ 25 重箱
□ 26 磁石
□ 27 筋道

□ 28 窓口
□ 29 組曲
□ 30 手帳
□ 31 台所
□ 32 茶柱
□ 33 湯気
□ 34 背骨
□ 35 温泉
□ 36 傷口

□ 37 道順
□ 38 試合
□ 39 新型
□ 40 針箱
□ 41 手配
□ 42 巻物
□ 43 裏作
□ 44 格安
□ 45 穴場

| 19 | 20 | 21 | 22 | 23 | 24 | 25 | 26 | 27 |
|---|---|---|---|---|---|---|---|---|
| イ | エ | イ | ウ | イ | イ | イ | ア | ウ |

| 28 | 29 | 30 | 31 | 32 | 33 | 34 | 35 | 36 |
|---|---|---|---|---|---|---|---|---|
| ウ | エ | エ | イ | イ | エ | ウ | ア | ウ |

| 37 | 38 | 39 | 40 | 41 | 42 | 43 | 44 | 45 |
|---|---|---|---|---|---|---|---|---|
| エ | イ | イ | ウ | エ | ウ | エ | イ | ウ |

かならず押さえる!
頻出度
A

# 音と訓―②

※次の熟語の読みは下記の［　］の中のどの組み合わせになっているか、ア～エの記号で答えよ。

ア 音と音　イ 音と訓
ウ 訓と訓　エ 訓と音

□1 残高
□2 重箱
□3 夕刊
□4 源流
□5 穴場
□6 道順
□7 潮風
□8 灰皿
□9 花束
□10 職場
□11 規律
□12 背中
□13 演奏
□14 縦糸
□15 訪問
□16 生傷
□17 独奏
□18 係長

目標正答率
75%
／45

## 標準解答

1 イ
2 イ
3 エ
4 ア
5 ウ
6 エ
7 ウ
8 ウ
9 ウ
10 イ
11 ア
12 ウ
13 ア
14 ウ
15 ア
16 ウ
17 ア
18 エ

□19 手順
□20 土手
□21 若者
□22 道筋
□23 胸囲
□24 役割
□25 手帳
□26 巻紙
□27 味方

□28 試合
□29 砂山
□30 係員
□31 関所
□32 裏山
□33 納入
□34 回覧
□35 官庁
□36 布地

□37 軍手
□38 無口
□39 系統
□40 宗教
□41 起源
□42 探検
□43 明朗
□44 若葉
□45 裏庭

19 エ
20 イ
21 ウ
22 ウ
23 ア
24 イ
25 エ
26 ウ
27 イ

28 イ
29 ウ
30 エ
31 エ
32 ウ
33 ア
34 ア
35 ア
36 エ

37 イ
38 イ
39 ア
40 ア
41 ア
42 ア
43 ア
44 ウ
45 ウ

かならず押さえる！
頻出度
A

# 音と訓③

目標正答率
75%

／45

※次の熟語の読みは下記の［　］の中のどの組み合わせになっているか、ア～エの記号で答えよ。

ア　音と音
イ　音と訓
ウ　訓と訓
エ　訓と音

□1　本筋
□2　若気
□3　針金
□4　節穴
□5　背中
□6　巻物
□7　縦糸
□8　派手
□9　旧型
□10　潮風
□11　疑問
□12　古傷
□13　職場
□14　灰皿
□15　石段
□16　手製
□17　仕事
□18　割合

## 標準解答

1　イ
2　エ
3　ウ
4　ウ
5　ウ
6　ウ
7　ウ
8　イ
9　イ
10　ウ
11　ア
12　ウ
13　イ
14　ウ
15　エ
16　エ
17　イ
18　ウ

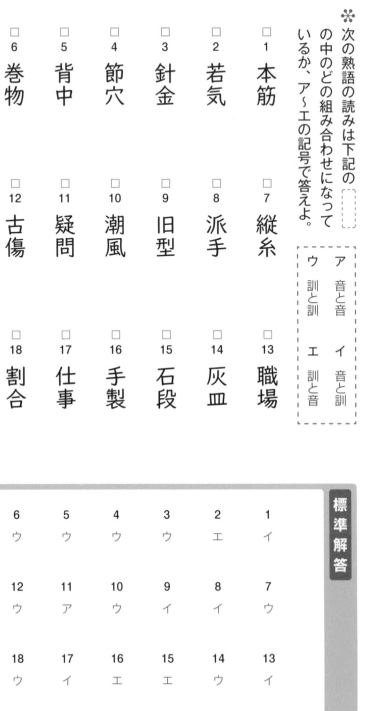

□19 映写
□20 誤解
□21 養蚕
□22 納品
□23 筋金
□24 湯気
□25 星座
□26 拡張
□27 弱気

□28 政党
□29 延長
□30 幼虫
□31 返済
□32 誠実
□33 蒸気
□34 宝箱
□35 看護
□36 裏側

□37 諸国
□38 憲法
□39 麦茶
□40 郷里
□41 呼吸
□42 尊重
□43 宇宙
□44 操作
□45 首筋

19 ア
20 ア
21 ア
22 ア
23 ウ
24 エ
25 ア
26 ア
27 エ

28 ア
29 ア
30 ア
31 ア
32 ア
33 ア
34 ウ
35 ア
36 ウ

37 ア
38 ア
39 エ
40 ア
41 ア
42 ア
43 ア
44 ア
45 ウ

かならず押さえる！
頻出度
A

# 音と訓④

※次の熟語の読みは下記の［　］の中のどの組み合わせになっているか、ア～エの記号で答えよ。

ア　音と音
イ　音と訓
ウ　訓と訓
エ　訓と音

□1 紅白
□2 胸中
□3 布製
□4 横顔
□5 貯蔵
□6 運賃
□7 推理
□8 同盟
□9 茶畑
□10 場面
□11 裏口
□12 看病
□13 厚着
□14 縦長
□15 興奮
□16 署名
□17 除草
□18 合奏

目標正答率
75%

／45

**標準解答**

1 ア
2 ア
3 エ
4 ウ
5 ア
6 ア
7 ア
8 ア
9 イ
10 エ
11 ウ
12 ア
13 ウ
14 ウ
15 ア
16 ア
17 ア
18 ア

□19 砂地
□20 姿勢
□21 参拝
□22 創造
□23 茶色
□24 洗顔
□25 収納
□26 苦痛
□27 番付

□28 若草
□29 晩飯
□30 並木
□31 心臓
□32 優勝
□33 散乱
□34 築城
□35 短縮
□36 討議

□37 座高
□38 背後
□39 法律
□40 通訳
□41 模型
□42 閉館
□43 登頂
□44 聖火
□45 改装

19 エ
20 ア
21 ア
22 ア
23 イ
24 ア
25 ア
26 ア
27 イ

28 ウ
29 イ
30 ウ
31 ア
32 ア
33 ア
34 ア
35 ア
36 ア

37 ア
38 ア
39 ア
40 ア
41 ア
42 ア
43 ア
44 ア
45 ア

かならず押さえる！

頻出度

# A

# 同じ読みの漢字―①

目標正答率
75%

／40

※次の――線のカタカナを漢字に直せ。

□1 パラシュートで**コウ**下した。
□2 薬の**コウ**果で具合がよくなる。

□3 近**シ**なのでめがねが手ばなせない。
□4 この本は発売禁**シ**になった。

□5 寒**ダン**計で気温を測る。
□6 車の列が間**ダン**なく続く。

□7 毎朝、仏前にお茶を**ソナ**える。
□8 豊富な機能が**ソナ**わった名車だ。

□9 **シオ**で味を付ける。
□10 海岸で**シオ**風にふかれる。

□11 水面に入道雲が**ウツ**る。
□12 教わった手順をメモに書き**ウツ**す。

□13 **ハラ**っぱでうさぎを見かけた。
□14 **ハラ**八分目に病無し。

□15 いとこは東京に**ス**んでいる。
□16 昼食を早めに**ス**ませた。

**標準解答**

1 降
2 効
3 視
4 止
5 暖
6 断
7 供
8 備
9 塩
10 潮
11 映
12 写
13 原
14 腹
15 住
16 済

頻出度 A

□ 17 トモ働きで家計をまかなう。
□ 18 幼いころのトモの顔を思い出す。

□ 19 草むらから虫のネが聞こえてくる。
□ 20 郷土にネを下ろし農業をつぐ。

□ 21 イ食足りて礼節を知る。
□ 22 朝顔のなえをイ植する。

□ 23 終点に向けてバスが発シャした。
□ 24 ロケットの発シャに成功した。

□ 25 カン潔な説明を心がける。
□ 26 この小説は一話でカン結だ。

□ 27 授業料を期限までにオサめる。
□ 28 サッカーの試合で勝ちをオサめる。

□ 29 海外生活のカン習を学んだ。
□ 30 大カン衆のはく手を浴びた。

□ 31 火災で死ショウ者が出たようだ。
□ 32 電車の運行に支ショウをきたす。

□ 33 先制し試合をユウ勢に進めた。
□ 34 ユウ政事業は民営化された。

□ 35 商品をていねいに包ソウする。
□ 36 店で迷子の知らせを放ソウする。

□ 37 高ソウビルからの夜景がきれいだ。
□ 38 新作の構ソウを練る。

□ 39 ハーモニカで独ソウした。
□ 40 独ソウ的な絵をえがく人だ。

17 共
18 友
19 音
20 根
21 衣
22 移
23 車
24 射
25 簡
26 完
27 納
28 収
29 慣
30 観
31 傷
32 障
33 優
34 郵
35 装
36 送
37 層
38 想
39 奏
40 創

かならず押さえる！
頻出度
A

# 同じ読みの漢字―②

目標正答率
75%

／40

※次の――線のカタカナを漢字に直せ。

□ 1 問題の解決にツトめる。
□ 2 母は病院にツトめている。
□ 3 好景気で株のネが上がった。
□ 4 ネも葉もないうわさが広まる。
□ 5 父は中央官チョウではたらいている。
□ 6 干チョウの砂はまで貝をとる。
□ 7 弟はひとりぼっちで家にイる。
□ 8 貧《ひん》困者のイ食問題に取り組む。
□ 9 医学書をセン門にあつかう書店だ。
□ 10 新商品を大々的にセン伝する。
□ 11 取引先とのユウ好関係を保つ。
□ 12 このきっぷはまだユウ効です。
□ 13 駅前に目立つカン板を設置する。
□ 14 参考書のカン末に用語集をのせる。
□ 15 日本語にヤクした小説を読む。
□ 16 ヤク二時間で家に着く予定だ。

**標準解答**

1 努
2 勤
3 値
4 根
5 庁
6 潮
7 居
8 衣
9 専
10 宣
11 友
12 有
13 看
14 巻
15 訳
16 約

□17 クリーナーでごみを**キュウ**引する。
□18 消防隊が住民を**キュウ**助する。

□19 車が横転して積み荷が散**ラン**する。
□20 特設の観**ラン**席から花火を見る。

□21 将軍家の財**ホウ**が発見される。
□22 アフリカ各国を首相が**ホウ**問する。

□23 国内のふん争を**オサ**める。
□24 強風がやっと**オサ**まった。

□25 授業でカエルの内**ゾウ**を調べた。
□26 数々の問題を内**ゾウ**する事件だ。

□27 早春は寒**ダン**の差が激しい。
□28 間**ダン**なく小雨がふり続いている。

□29 京都の寺を拝**カン**して回る。
□30 ガスの配**カン**工事が行われた。

□31 いかりで顔が紅**チョウ**する。
□32 開業当初は好**チョウ**だった。

□33 マラソン大会で先頭を快**ソウ**する。
□34 古い家を改**ソウ**する計画だ。

□35 演出の構**ソウ**を練る。
□36 都会には高**ソウ**ビルが建ち並ぶ。

□37 **イ**るような目でにらまれた。
□38 草花の苗を**イ**植する。

□39 貝の砂を**シオ**水ではかせる。
□40 遠洋の**シオ**の流れを調べる。

17 吸
18 救
19 乱
20 覧
21 宝
22 訪
23 治
24 収
25 臓
26 蔵
27 暖
28 断
29 観
30 管
31 潮
32 調
33 走
34 装
35 想
36 層
37 射
38 移
39 塩
40 潮

かならず押さえる！

頻出度

A

# 同じ読みの漢字——③

目標正答率

75%

／40

※次の——線のカタカナを漢字に直せ。

□1 村に**イ**動図書館がやって来る。

□2 国語で字句の**イ**同を調べた。

□3 時と場所に適した服**ソウ**をする。

□4 湖で遊覧船を**ソウ**縦する。

□5 高速道路で死**ショウ**事故が起きた。

□6 悪天で作業に支**ショウ**をきたす。

□7 **タン**査機が月面に着陸した。

□8 孫の**タン**生日に絵本をおくる。

□9 常に混雑する通路を**カク**張する。

□10 天守**カク**から城下を一望する。

□11 **サイ**判で原告の主張が認められた。

□12 とんだ**サイ**難が降りかかる。

□13 飛行機が急に**コウ**下を始めた。

□14 この絵画の値はとても**コウ**価だ。

□15 カメラが内**ゾウ**された機械。

□16 食べすぎで内**ゾウ**をいためる。

**標準解答**

1 移　2 異

3 装　4 操

5 傷　6 障

7 探　8 誕

9 拡　10 閣

11 裁　12 災

13 降　14 高

15 蔵　16 臓

□17 点差を広げユウ勢を保つ。
□18 ユウ政職員として二十年従事した。

□19 卒業式で校長が祝ジを述べた。
□20 ジ童が近所の公園で遊んでいる。

□21 地道な取材で真ソウが判明する。
□22 新幹線の車ソウから海をながめる。

□23 ケン売機で家までのきっぷを買う。
□24 他国から主ケンがおびやかされる。

□25 ヨウ少のころより読書にいそしむ。
□26 バランスの良い栄ヨウをとる。

□27 特別公開された秘仏をハイ観する。
□28 美しい海岸をハイ景に写真をとる。

□29 見事な演奏にカン激した。
□30 友人とカン劇に行く。

□31 かれはソウ像上の人物だ。
□32 ソウ造性に豊んだ作品だ。

□33 海辺の道を自転車で快ソウした。
□34 店内改ソウでしばらく休業する。

□35 官チョウの建物を見に行く。
□36 きょうの干チョウは夕方です。

□37 気候がアタタかくなる。
□38 外気で冷えた体をアタタめる。

□39 未成年の飲酒は禁シされている。
□40 近シで遠景がわかりにくい。

| 17 | 18 | 19 | 20 | 21 | 22 | 23 | 24 | 25 | 26 | 27 | 28 |
|---|---|---|---|---|---|---|---|---|---|---|---|
| 優 | 郵 | 辞 | 児 | 相 | 窓 | 券 | 権 | 幼 | 養 | 拝 | 背 |

| 29 | 30 | 31 | 32 | 33 | 34 | 35 | 36 | 37 | 38 | 39 | 40 |
|---|---|---|---|---|---|---|---|---|---|---|---|
| 感 | 観 | 想 | 創 | 走 | 装 | 庁 | 潮 | 暖 | 温 | 止 | 視 |

かならず押さえる！
頻出度
A

# 対義語・類義語——①

目標正答率
80%

／40

※□の中の語を必ず一度使って漢字に直し、対義語・類義語を記せ。

## 対義語

□ 1 水平—□直
□ 2 快楽—□痛
□ 3 容易—困□
□ 4 整理—散□
□ 5 悪意—□意
□ 6 応答—質□
□ 7 往復—□道
□ 8 拡大—□小

かた　ぎ　く　しゅく　すい　ぜん　なん　らん

## 類義語

□ 9 開演—開□
□ 10 最良—最□
□ 11 作者—□者
□ 12 地区—地□
□ 13 始末—□理
□ 14 容易—□単
□ 15 給料—□金
□ 16 任務—役□

いき　かん　しょ　ぜん　ちょ　ちん　まく　わり

## 標準解答

1 水平《すいへい》↕垂直《すいちょく》
2 快楽《かいらく》↕苦痛《くつう》
3 容易《ようい》↕困難《こんなん》
4 整理《せいり》↕散乱《さんらん》
5 悪意《あくい》↕善意《ぜんい》
6 応答《おうとう》↕質疑《しつぎ》
7 往復《おうふく》↕片道《かたみち》
8 拡大《かくだい》↕縮小《しゅくしょう》
9 開演《かいえん》＝開幕《かいまく》
10 最良《さいりょう》＝最善《さいぜん》
11 作者《さくしゃ》＝著者《ちょしゃ》
12 地区《ちく》＝地域《ちいき》
13 始末《しまつ》＝処理《しょり》
14 容易《ようい》＝簡単《かんたん》
15 給料《きゅうりょう》＝賃金《ちんぎん》
16 任務《にんむ》＝役割《やくわり》

## 対義語

□17 満潮―□潮
□18 公開―秘□
□19 冷静―興□
□20 複雑―単□
□21 表側―□側
□22 河口―水□
□23 横糸―□糸
□24 誕生―死□
□25 地味―□手
□26 目的―手□
□27 義務―□利
□28 退職―□職

うら　かん　けん　げん　しゅう　じゅん　たて　だん　は　ふん　ぼう　みつ

## 類義語

□29 感動―感□
□30 家屋―住□
□31 保管―保□
□32 自分―自□
□33 警告―□告
□34 後方―□後
□35 重荷―負□
□36 死去―死□
□37 未来―□来
□38 明日―□日
□39 快活―明□
□40 討議―議□

げき　こ　しょう　ぞん　たく　たん　ちゅう　はい　ぼう　よく　ろう　ろん

17 満潮《まんちょう》↕干潮《かんちょう》
18 公開《こうかい》↕秘密《ひみつ》
19 冷静《れいせい》↕興奮《こうふん》
20 複雑《ふくざつ》↕単純《たんじゅん》
21 表側《おもてがわ》↕裏側《うらがわ》
22 河口《かこう》↕水源《すいげん》
23 横糸《よこいと》↕縦糸《たていと》
24 誕生《たんじょう》↕死亡《しぼう》
25 地味《じみ》↕派手《はで》
26 目的《もくてき》↕手段《しゅだん》
27 義務《ぎむ》↕権利《けんり》
28 退職《たいしょく》↕就職《しゅうしょく》

29 感動《かんどう》＝感激《かんげき》
30 家屋《かおく》＝住宅《じゅうたく》
31 保管《ほかん》＝保存《ほぞん》
32 自分《じぶん》＝自己《じこ》
33 警告《けいこく》＝忠告《ちゅうこく》
34 後方《こうほう》＝背後《はいご》
35 重荷《おもに》＝負担《ふたん》
36 死去《しきょ》＝死亡《しぼう》
37 未来《みらい》＝将来《しょうらい》
38 明日《あす》＝翌日《よくじつ》
39 快活《かいかつ》＝明朗《めいろう》
40 討議《とうぎ》＝議論《ぎろん》

かならず押さえる！
頻出度

# A 対義語・類義語 ―― ②

※ □ の中の語を必ず一度使って漢字に直し、対義語・類義語を記せ。

## 対義語

□ 1 通常―□時
□ 2 外出―帰□
□ 3 表門―□門
□ 4 複雑―簡□
□ 5 両方―□方
□ 6 正常―□常
□ 7 横長―□長
□ 8 実物―□型

| い | うら | かた | たく | たて | たん | も | りん |

## 類義語

□ 9 分野―領□
□ 10 有名―□名
□ 11 方法―手□
□ 12 大切―□重
□ 13 直前―□前
□ 14 討議―討□
□ 15 広告―□伝
□ 16 大木―大□

| いき | き | じゅ | すん | せん | だん | ちょ | ろん |

目標正答率 80%

／40

## 標準解答

1 通常《つうじょう》↔臨時《りんじ》
2 外出《がいしゅつ》↔帰宅《きたく》
3 表門《おもてもん》↔裏門《うらもん》
4 複雑《ふくざつ》↔簡単《かんたん》
5 両方《りょうほう》↔片方《かたほう》
6 正常《せいじょう》↔異常《いじょう》
7 横長《よこなが》↔縦長《たてなが》
8 実物《じつぶつ》↔模型《もけい》

9 分野《ぶんや》＝領域《りょういき》
10 有名《ゆうめい》＝著名《ちょめい》
11 方法《ほうほう》＝手段《しゅだん》
12 大切《たいせつ》＝貴重《きちょう》
13 直前《ちょくぜん》＝寸前《すんぜん》
14 討議《とうぎ》＝討論《とうろん》
15 広告《こうこく》＝宣伝《せんでん》
16 大木《たいぼく》＝大樹《たいじゅ》

## 対義語

□ 17 他者－自□
□ 18 延長－短□
□ 19 悲報－□報
□ 20 死亡－□生
□ 21 寒流－□流
□ 22 開館－□館
□ 23 借用－返□
□ 24 成熟－□熟
□ 25 読者－□者
□ 26 短縮－延□
□ 27 激増－激□
□ 28 正面－□面

げん　こ　さい　しゅく　たん　だん　ちょ　ちょう　はい　へい　み　ろう

## 類義語

□ 29 価格－□段
□ 30 質問－質□
□ 31 処理－始□
□ 32 着任－□任
□ 33 真心－□意
□ 34 向上－□展
□ 35 次週－□週
□ 36 設立－□設
□ 37 役者－□優
□ 38 外国－□国
□ 39 加入－加□
□ 40 指図－指□

い　き　ぎ　しゅう　せい　そう　ね　はい　はっ　まつ　めい　よく

17 他者《たしゃ》↕自己《じこ》
18 延長《えんちょう》↕短縮《たんしゅく》
19 悲報《ひほう》↕朗報《ろうほう》
20 死亡《しぼう》↕誕生《たんじょう》
21 寒流《かんりゅう》↕暖流《だんりゅう》
22 開館《かいかん》↕閉館《へいかん》
23 借用《しゃくよう》↕返済《へんさい》
24 成熟《せいじゅく》↕未熟《みじゅく》
25 読者《どくしゃ》↕著者《ちょしゃ》
26 短縮《たんしゅく》↕延長《えんちょう》
27 激増《げきぞう》↕激減《げきげん》
28 正面《しょうめん》↕背面《はいめん》

29 価格《かかく》＝値段《ねだん》
30 質問《しつもん》＝質疑《しつぎ》
31 処理《しょり》＝始末《しまつ》
32 着任《ちゃくにん》＝就任《しゅうにん》
33 真心《まごころ》＝誠意《せいい》
34 向上《こうじょう》＝発展《はってん》
35 次週《じしゅう》＝翌週《よくしゅう》
36 設立《せつりつ》＝創設《そうせつ》
37 役者《やくしゃ》＝俳優《はいゆう》
38 外国《がいこく》＝異国《いこく》
39 加入《かにゅう》＝加盟《かめい》
40 指図《さしず》＝指揮《しき》

かならず押さえる！
頻出度
A

# 熟語の構成――①

目標正答率
85%

／36

※熟語の構成には次のようなものがある。

ア 反対や対《つい》になる意味の字を組み合わせたもの（例 強弱）
イ 同じような意味の字を組み合わせたもの（例 進行）
ウ 上の字が下の字を説明（修飾《しょく》）しているもの（例 国旗）
エ 下の字から上へ返って読むと意味がよくわかるもの（例 消火）

次の熟語はそのどれに当たるか、記号を記せ。

□ 1 問答
□ 2 公私
□ 3 得失
□ 4 負傷
□ 5 就職
□ 6 築城
□ 7 登頂
□ 8 去来
□ 9 勤務
□ 10 特権
□ 11 価値
□ 12 善悪

**標準解答**

1 ア 「問う」⇔「答える」の意
2 ア 「おおやけ」⇔「わたくし」の意
3 ア 「得る」⇔「失う」の意
4 エ 「負う←傷を」と考える
5 エ 「つく←職業に」と考える
6 エ 「築く←城を」と考える
7 エ 「登る←頂上に」と考える
8 ア 「去る」⇔「来る」の意
9 イ どちらも「つとめる」の意
10 ウ 「特別な＋権利」と考える
11 イ どちらも「ねうち」の意
12 ア 「善い」⇔「悪い」の意

□ 13 乗降

□ 14 植樹

□ 15 延期

□ 16 歌詞

□ 17 存在

□ 18 破損

□ 19 収納

□ 20 郷里

□ 21 死亡

□ 22 洗面

□ 23 難易

□ 24 尊敬

□ 25 短針

□ 26 永久

□ 27 寒暖

□ 28 困苦

□ 29 立腹

□ 30 紅白

□ 31 除去

□ 32 映写

□ 33 善良

□ 34 肥満

□ 35 敬老

□ 36 自己

---

13 ア 「乗る」⇔「降りる」の意

14 エ 「植える←木を」と考える

15 エ 「延ばす←期日を」と考える

16 ウ 「歌の＋文句」と考える

17 イ どちらも「ある」の意

18 イ どちらも「こわれる」の意

19 イ どちらも「おさめる」の意

20 イ どちらも「ふるさと」の意

21 イ どちらも「しぬ」の意

22 エ 「洗う←顔を」と考える

23 ア 「難しい」⇔「易しい」の意

24 イ どちらも「うやまう」の意

25 ウ 「短い＋針」と考える

26 イ どちらも「ながい」の意

27 ア 「寒い」⇔「暖かい」の意

28 イ どちらも「くるしむ」の意

29 エ 「立てる←腹を」と考える

30 ア 「赤い」⇔「白い」の意

31 イ どちらも「のぞく」の意

32 イ どちらも「うつす」の意

33 イ どちらも「よい」の意

34 イ どちらも「ゆたか」の意

35 エ 「敬う←老人を」と考える

36 イ どちらも「おのれ」の意

かならず押さえる！
頻出度
A

# 熟語の構成――②

目標正答率
85%

／36

※熟語の構成には次のようなものがある。

ア 反対や対《つい》になる意味の字を組み合わせたもの（例 強弱）
イ 同じような意味の字を組み合わせたもの（例 進行）
ウ 上の字が下の字を説明（修飾《しょく》）しているもの（例 国旗）
エ 下の字から上へ返って読むと意味がよくわかるもの（例 消火）

次の熟語はそのどれに当たるか、記号を記せ。

□1 植樹
□2 公私
□3 取捨
□4 干満
□5 養蚕
□6 登頂
□7 厳禁
□8 胸囲
□9 樹木
□10 収支
□11 家賃
□12 降車

**標準解答**

1 エ 「植える↑木を」と考える
2 ア 「おおやけ」⇕「わたくし」の意
3 ア 「取る」⇕「捨てる」の意
4 ア 「ひき潮」⇕「満ち潮」の意
5 エ 「養う↑蚕を」と考える
6 エ 「登る↑頂上に」と考える
7 ウ 「厳しく＋禁止する」と考える
8 ウ 「胸の＋まわり」と考える
9 イ どちらも「き」の意
10 ア 「収入」⇕「支出」の意
11 ウ 「家の＋借り賃」と考える
12 エ 「降りる↑車を」と考える

読み
書き取り
四字熟語
送りがな
音と訓
同じ読みの漢字
対義語・類義語
熟語の構成②
熟語作り
画数
部首と部首名

- □13 閉館
- □14 損益
- □15 帰宅
- □16 密林
- □17 観劇
- □18 可否
- □19 紅茶
- □20 乳歯
- □21 朝晩
- □22 当落
- □23 半熟
- □24 温暖
- □25 就任
- □26 翌日
- □27 順延
- □28 帰郷
- □29 視点
- □30 古城
- □31 食欲
- □32 遺品
- □33 豊富
- □34 別冊
- □35 洗顔
- □36 敬意

---

13 エ 「閉める←建物を」と考える

14 ア 「損失」⇔「利益」の意

15 エ 「帰る←自宅に」と考える

16 ウ 「密集した＋林」と考える

17 エ 「みる←劇を」と考える

18 ア 「可決」⇔「否決」の意

19 ウ 「あかい＋茶」と考える

20 ウ 「乳児の＋歯」と考える

21 ア 「朝」⇔「晩」の意

22 ア 「当選」⇔「落選」の意

23 ウ 「半分まで＋熟す」と考える

24 イ どちらも「あたたかい」の意

25 エ 「つく←任務に」と考える

26 ウ 「次の＋日」と考える

27 ウ 「順ぐりに＋延ばす」と考える

28 エ 「帰る←故郷に」と考える

29 ウ 「視線の＋位置」と考える

30 ウ 「古い＋城」と考える

31 ウ 「食べたい＋欲求」と考える

32 ウ 「のこされた＋品物」と考える

33 イ どちらも「ゆたか」の意

34 ウ 「別にまとめられた＋ほん」と考える

35 エ 「洗う←顔を」と考える

36 ウ 「敬う＋きもち」と考える

かならず押さえる！
頻出度 A

# 熟語の構成――③

目標正答率
85%

／36

※熟語の構成には次のようなものがある。

ア 反対や対《つい》になる意味の字を組み合わせたもの（例 強弱）
イ 同じような意味の字を組み合わせたもの（例 進行）
ウ 上の字が下の字を説明（修飾《しょく》）しているもの（例 国旗）
エ 下の字から上へ返って読むと意味がよくわかるもの（例 消火）

次の熟語はそのどれに当たるか、記号を記せ。

□1 閉店
□2 宝石
□3 在宅
□4 開幕
□5 除草
□6 絹糸
□7 悲劇
□8 胸中
□9 開閉
□10 困難
□11 挙手
□12 寸前

**標準解答**

1 エ 「閉める←店を」と考える
2 ウ 「めずらしい＋石」と考える
3 エ 「いる←自宅に」と考える
4 エ 「開く←幕が」と考える
5 エ 「取り除く←草を」と考える
6 ウ 「絹でできた＋糸」と考える
7 ウ 「悲しい＋劇」と考える
8 ウ 「こころの＋中」と考える
9 ア 「開く」⇔「閉じる」の意
10 イ どちらも「むずかしい」の意
11 エ 「あげる←手を」と考える
12 ウ 「すこし＋前」と考える

□ 13 水源

□ 14 看病

□ 15 灰色

□ 16 異国

□ 17 牛乳

□ 18 縦横

□ 19 往復

□ 20 翌週

□ 21 軽傷

□ 22 班長

□ 23 城主

□ 24 秒針

□ 25 厳守

□ 26 私用

□ 27 停止

□ 28 禁止

□ 29 翌年

□ 30 潮風

□ 31 誠意

□ 32 除雪

□ 33 純白

□ 34 山頂

□ 35 表現

□ 36 閉幕

---

13 ウ 「水の＋源」と考える

14 エ 「みる↑病人を」と考える

15 ウ 「灰のような＋色」と考える

16 ウ 「よその＋国」と考える

17 ウ 「牛の＋乳」と考える

18 ア 「たて」⇔「よこ」の意

19 ア 「いく」⇔「かえる」の意

20 ウ 「次の＋週」と考える

21 ウ 「軽い＋傷」と考える

22 ウ 「班の＋長」と考える

23 ウ 「城の＋あるじ」と考える

24 ウ 「秒を示す＋針」と考える

25 ウ 「厳しく＋守る」と考える

26 ウ 「わたくしの＋用事」と考える

27 イ どちらも「とまる」の意

28 イ どちらも「さしとめる」の意

29 ウ 「次の＋年」と考える

30 ウ 「海からふく＋風」と考える

31 ウ 「誠実な＋きもち」と考える

32 エ 「除く↑雪を」と考える

33 ウ 「純粋な＋白」と考える

34 ウ 「山の＋頂き」と考える

35 イ どちらも「あらわす」の意

36 エ 「閉じる↑幕を」と考える

# 熟語作り―①

※□の中から漢字を選んで、次の意味に当てはまる熟語を作り、答えは記号で記せ。

□ 1 人や物を特定の場所におさめること。
□ 2 どれくらい大切かという程度。
□ 3 きわめて大切なこと。
□ 4 平易で的を射ているさま。
□ 5 年寄りをうやまうこと。
□ 6 注意をきつくうながすこと。
□ 7 団体にくわわること。

| | | | | |
|---|---|---|---|---|
| ア 収 | イ 潔 | ウ 価 | エ 胃 | オ 告 |
| カ 域 | キ 敬 | ク 宇 | ケ 異 | コ 重 |
| サ 簡 | シ 警 | ス 貴 | セ 加 | ソ 値 |
| タ 老 | チ 容 | ツ 盟 | テ 映 | ト 遺 |

□ 8 ひとつのことに集中して取り組むこと。
□ 9 人としての行いの手本となる決まり。
□ 10 そうでないとして認めないこと。
□ 11 事実と異なる知らせ。
□ 12 病人やけが人について世話をすること。
□ 13 さまざまな角度から考えること。
□ 14 仕事につくこと。

| | | | | |
|---|---|---|---|---|
| ア 看 | イ 報 | ウ 職 | エ 誤 | オ 否 |
| カ 我 | キ 律 | ク 沿 | ケ 護 | コ 延 |
| サ 検 | シ 恩 | ス 就 | セ 念 | ソ 規 |
| タ 拡 | チ 専 | ツ 討 | テ 定 | ト 灰 |

目標正答率
90%
／32

**標準解答**

1 ア・チ 収容《しゅうよう》
2 ウ・ソ 価値《かち》
3 ス・コ 貴重《きちょう》
4 サ・イ 簡潔《かんけつ》
5 キ・タ 敬老《けいろう》
6 シ・オ 警告《けいこく》
7 セ・ツ 加盟《かめい》
8 チ・セ 専念《せんねん》
9 ソ・キ 規律《きりつ》
10 オ・テ 否定《ひてい》
11 エ・イ 誤報《ごほう》
12 ア・ケ 看護《かんご》
13 サ・ツ 検討《けんとう》
14 ス・ウ 就職《しゅうしょく》

※ □ の中から漢字を選んで、次の意味に当てはまる熟語を作り、答えは記号で記せ。

□ 15 多くの人に知られていること。
□ 16 目に見えるはん囲。
□ 17 ほしがったり願ったりする気持ち。
□ 18 一刻を争うこと。
□ 19 学問などがまだ十分ではないこと。
□ 20 おなじ学校に在せき・卒業したこと。
□ 21 いつわりなく真心があること。
□ 22 よろこばしい知らせ。
□ 23 たりない部分を付け加えること。

ア 視　イ 足　ウ 朗　エ 誠
オ 実　カ 窓　キ 欲　ク 著
ケ 名　コ 至　サ 望　シ 熟
ス 閣　セ 報　ソ 界　タ 革
チ 補　ツ 未　テ 急　ト 同

□ 24 状きょうからおしはかって決めること。
□ 25 考え出してつくりあげること。
□ 26 液体の表面から気化すること。
□ 27 広く大きくすること。
□ 28 あることの起こる少しまえ。
□ 29 人間の考えをこえた不思議。
□ 30 事の善しあしを指てきすること。
□ 31 はなやかでひときわ目立つこと。
□ 32 職務につくこと。

ア 前　イ 定　ウ 寸　エ 手
オ 就　カ 派　キ 評　ク 張
ケ 創　コ 割　サ 神　シ 発
ス 株　セ 任　ソ 批　タ 蒸
チ 推　ツ 秘　テ 拡　ト 作

15 ク・ケ 著名《ちょめい》
16 ア・ソ 視界《しかい》
17 キ・サ 欲望《よくぼう》
18 コ・テ 至急《しきゅう》
19 ツ・シ 未熟《みじゅく》
20 ト・カ 同窓《どうそう》
21 エ・オ 誠実《せいじつ》
22 ウ・セ 朗報《ろうほう》
23 チ・イ 補足《ほそく》
24 チ・イ 推定《すいてい》
25 ケ・ト 創作《そうさく》
26 タ・シ 蒸発《じょうはつ》
27 テ・ク 拡張《かくちょう》
28 ウ・ア 寸前《すんぜん》
29 サ・ツ 神秘《しんぴ》
30 ソ・キ 批評《ひひょう》
31 カ・エ 派手《はで》
32 オ・セ 就任《しゅうにん》

かならず押さえる！
頻出度
A

# 熟語作り――②

目標正答率
90%
／32

※□の中から漢字を選んで、次の意味に当てはまる熟語を作り、答えは記号で記せ。

□1 けが人や病人などの面どうを見ること。
□2 大切におさめて、しまっておくこと。
□3 いつわりがなく心がこもっていること。
□4 大きく広げること。
□5 借りたお金などをかえすこと。
□6 意見などを広く外部に表明すること。
□7 仕事などに、力をつくしてはげむこと。

ア 秘　イ 済　ウ 蔵　エ 看
オ 巻　カ 勤　キ 実　ク 拡
ケ 張　コ 護　サ 机　シ 危
ス 返　セ 勉　ソ 言　タ 簡
チ 揮　ツ 宣　テ 誠　ト 干

□8 物事のさまたげになる物を取りのぞくこと。
□9 文書に自分のなまえを書くこと。
□10 多くの人。
□11 生まれ育った場所。
□12 書物などを書きあらわした人。
□13 機械や道具を働かせること。
□14 物に動じず、こわがらない心。

ア 署　イ 郷　ウ 供　エ 作
オ 去　カ 里　キ 勤　ク 疑
ケ 貴　コ 吸　サ 著　シ 大
ス 除　セ 者　ソ 操　タ 度
チ 名　ツ 筋　テ 胸　ト 衆

**標準解答**

1 エ・コ　看護《かんご》
2 ア・ウ　秘蔵《ひぞう》
3 テ・キ　誠実《せいじつ》
4 ク・ケ　拡張《かくちょう》
5 ス・イ　返済《へんさい》
6 ツ・ソ　宣言《せんげん》
7 カ・セ　勤勉《きんべん》
8 ス・オ　除去《じょきょ》
9 ア・チ　署名《しょめい》
10 シ・ト　大衆《たいしゅう》
11 イ・カ　郷里《きょうり》
12 サ・セ　著者《ちょしゃ》
13 ソ・エ　操作《そうさ》
14 タ・テ　度胸《どきょう》

※ □の中から漢字を選んで、次の意味に当てはまる熟語を作り、答えは記号で記せ。

□15 動きをまとめる人にするさしず。
□16 何か所も切ってずたずたにすること。
□17 職務につくこと。
□18 光が物体に当たってはね返ること。
□19 人の生がいのおしまいのころ。
□20 制度や物事を作りかえること。
□21 身体にけがをおうこと。
□22 物事をさばいて始末をつけること。
□23 災害などへの注意をうながすこと。

| | | | |
|---|---|---|---|
| ア 就 | イ 揮 | ウ 系 | エ 晩 |
| オ 警 | カ 革 | キ 傷 | ク 理 |
| ケ 反 | コ 改 | サ 寸 | シ 敬 |
| ス 年 | セ 任 | ソ 処 | タ 断 |
| チ 指 | ツ 報 | テ 射 | ト 負 |

□24 すい取ること。
□25 山のてっぺんにのぼること。
□26 気持ちをふるい立たせること。
□27 入り組んでいなくてわかりやすいこと。
□28 ある物事が始まること。
□29 たいへん価値のあること。
□30 よろこばしい内容の知らせ。
□31 きびしいこと。
□32 自分の家にいること。

| | | | |
|---|---|---|---|
| ア 厳 | イ 在 | ウ 報 | エ 収 |
| オ 貴 | カ 宅 | キ 登 | ク 単 |
| ケ 吸 | コ 純 | サ 奮 | シ 幕 |
| ス 起 | セ 重 | ソ 朗 | タ 劇 |
| チ 開 | ツ 格 | テ 頂 | ト 警 |

| | | |
|---|---|---|
| 15 | チ・イ | 指揮《しき》 |
| 16 | サ・タ | 寸断《すんだん》 |
| 17 | ア・セ | 就任《しゅうにん》 |
| 18 | ケ・テ | 反射《はんしゃ》 |
| 19 | エ・ス | 晩年《ばんねん》 |
| 20 | コ・カ | 改革《かいかく》 |
| 21 | ト・キ | 負傷《ふしょう》 |
| 22 | ソ・ク | 処理《しょり》 |
| 23 | オ・ツ | 警報《けいほう》 |
| 24 | ケ・エ | 吸収《きゅうしゅう》 |
| 25 | キ・テ | 登頂《とうちょう》 |
| 26 | サ・ス | 奮起《ふんき》 |
| 27 | ク・コ | 単純《たんじゅん》 |
| 28 | チ・シ | 開幕《かいまく》 |
| 29 | オ・セ | 貴重《きちょう》 |
| 30 | ソ・ウ | 朗報《ろうほう》 |
| 31 | ア・ツ | 厳格《げんかく》 |
| 32 | イ・カ | 在宅《ざいたく》 |

かならず押さえる!
頻出度
A

# 画数—①

※次の漢字の太い画のところは、筆順の何画目か、また総画数は何画か、算用数字で記せ。

| | | （何画目） | ［総画数］ |
|---|---|---|---|
| 1 | 骨 | （　） | ［　］ |
| 2 | 奮 | （　） | ［　］ |
| 3 | 閣 | （　） | ［　］ |
| 4 | 誤 | （　） | ［　］ |
| 5 | 陛 | （　） | ［　］ |
| 6 | 呼 | （　） | ［　］ |
| 7 | 灰 | （　） | ［　］ |
| 8 | 宙 | （　） | ［　］ |
| 9 | 我 | （　） | ［　］ |
| 10 | 班 | （　） | ［　］ |
| 11 | 派 | （　） | ［　］ |
| 12 | 訪 | （　） | ［　］ |
| 13 | 純 | （　） | ［　］ |
| 14 | 遺 | （　） | ［　］ |
| 15 | 俳 | （　） | ［　］ |
| 16 | 将 | （　） | ［　］ |
| 17 | 処 | （　） | ［　］ |
| 18 | 片 | （　） | ［　］ |

目標正答率
90%

／42

## 標準解答

| | 何画目・総画数 |
|---|---|
| 1 | 4・10 |
| 2 | 8・16 |
| 3 | 2・14 |
| 4 | 12・14 |
| 5 | 3・10 |
| 6 | 6・8 |
| 7 | 1・6 |
| 8 | 6・8 |
| 9 | 6・7 |
| 10 | 6・10 |
| 11 | 6・9 |
| 12 | 10・11 |
| 13 | 7・10 |
| 14 | 12・15 |
| 15 | 3・10 |
| 16 | 3・10 |
| 17 | 4・5 |
| 18 | 3・4 |

（何画目）［総画数］

□19 貴（　）［　］
□20 党（　）［　］
□21 郵（　）［　］
□22 蒸（　）［　］
□23 存（　）［　］
□24 権（　）［　］
□25 裁（　）［　］
□26 脳（　）［　］
□27 若（　）［　］
□28 郷（　）［　］
□29 后（　）［　］
□30 熟（　）［　］

（何画目）［総画数］

□31 系（　）［　］
□32 冊（　）［　］
□33 孝（　）［　］
□34 訳（　）［　］
□35 射（　）［　］
□36 穀（　）［　］
□37 推（　）［　］
□38 卵（　）［　］
□39 革（　）［　］
□40 染（　）［　］
□41 誕（　）［　］
□42 聖（　）［　］

何画目・総画数

| 19 | 20 | 21 | 22 | 23 | 24 | 25 | 26 | 27 | 28 | 29 | 30 |
|---|---|---|---|---|---|---|---|---|---|---|---|
| 5・12 | 1・10 | 5・11 | 9・13 | 2・6 | 8・15 | 7・12 | 10・11 | 4・8 | 4・11 | 3・6 | 9・15 |

何画目・総画数

| 31 | 32 | 33 | 34 | 35 | 36 | 37 | 38 | 39 | 40 | 41 | 42 |
|---|---|---|---|---|---|---|---|---|---|---|---|
| 3・7 | 5・5 | 2・7 | 10・11 | 6・10 | 11・14 | 8・11 | 6・7 | 3・9 | 5・9 | 15・15 | 6・13 |

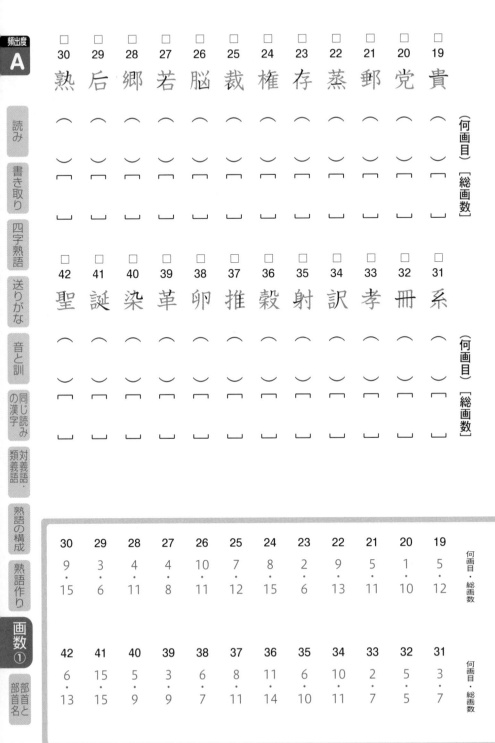

かならず押さえる!
頻出度
A

# 画数―②

※次の漢字の太い画のところは、筆順の何画目か、また総画数は何画か、算用数字で記せ。

（何画目）〔総画数〕

□1 閣（　）〔　〕
□2 陛（　）〔　〕
□3 灰（　）〔　〕
□4 我（　）〔　〕
□5 純（　）〔　〕
□6 遺（　）〔　〕
□7 俳（　）〔　〕
□8 郵（　）〔　〕
□9 骨（　）〔　〕

（何画目）〔総画数〕

□10 呼（　）〔　〕
□11 宙（　）〔　〕
□12 班（　）〔　〕
□13 蒸（　）〔　〕
□14 裁（　）〔　〕
□15 脳（　）〔　〕
□16 系（　）〔　〕
□17 冊（　）〔　〕
□18 孝（　）〔　〕

目標正答率
90%

／42

## 標準解答

何画目・総画数

| | | |
|---|---|---|
| 1 | 6 | 14 |
| 2 | 6 | 10 |
| 3 | 5 | 6 |
| 4 | 3 | 7 |
| 5 | 8 | 10 |
| 6 | 4 | 15 |
| 7 | 7 | 10 |
| 8 | 7 | 11 |
| 9 | 6 | 10 |
| 10 | 7 | 8 |
| 11 | 4 | 8 |
| 12 | 8 | 10 |
| 13 | 6 | 13 |
| 14 | 11 | 12 |
| 15 | 8 | 11 |
| 16 | 5 | 7 |
| 17 | 3 | 5 |
| 18 | 4 | 7 |

| 番号 | 漢字 | （何画目） | 〔総画数〕 |
|---|---|---|---|
| □19 | 訳 | （　） | 〔　〕 |
| □20 | 革 | （　） | 〔　〕 |
| □21 | 染 | （　） | 〔　〕 |
| □22 | 誕 | （　） | 〔　〕 |
| □23 | 聖 | （　） | 〔　〕 |
| □24 | 皇 | （　） | 〔　〕 |
| □25 | 権 | （　） | 〔　〕 |
| □26 | 若 | （　） | 〔　〕 |
| □27 | 郷 | （　） | 〔　〕 |
| □28 | 推 | （　） | 〔　〕 |
| □29 | 卵 | （　） | 〔　〕 |
| □30 | 奮 | （　） | 〔　〕 |
| □31 | 憲 | （　） | 〔　〕 |
| □32 | 障 | （　） | 〔　〕 |
| □33 | 看 | （　） | 〔　〕 |
| □34 | 除 | （　） | 〔　〕 |
| □35 | 衆 | （　） | 〔　〕 |
| □36 | 垂 | （　） | 〔　〕 |
| □37 | 城 | （　） | 〔　〕 |
| □38 | 乳 | （　） | 〔　〕 |
| □39 | 宝 | （　） | 〔　〕 |
| □40 | 臨 | （　） | 〔　〕 |
| □41 | 批 | （　） | 〔　〕 |
| □42 | 将 | （　） | 〔　〕 |

| 番号 | 何画目・総画数 |
|---|---|
| 19 | 8・11 |
| 20 | 8・9 |
| 21 | 4・9 |
| 22 | 9・15 |
| 23 | 11・13 |
| 24 | 7・9 |
| 25 | 12・15 |
| 26 | 5・8 |
| 27 | 9・11 |
| 28 | 7・11 |
| 29 | 3・7 |
| 30 | 14・16 |
| 31 | 5・16 |
| 32 | 3・14 |
| 33 | 4・9 |
| 34 | 3・10 |
| 35 | 8・12 |
| 36 | 6・8 |
| 37 | 5・9 |
| 38 | 7・8 |
| 39 | 5・8 |
| 40 | 2・18 |
| 41 | 6・7 |
| 42 | 1・10 |

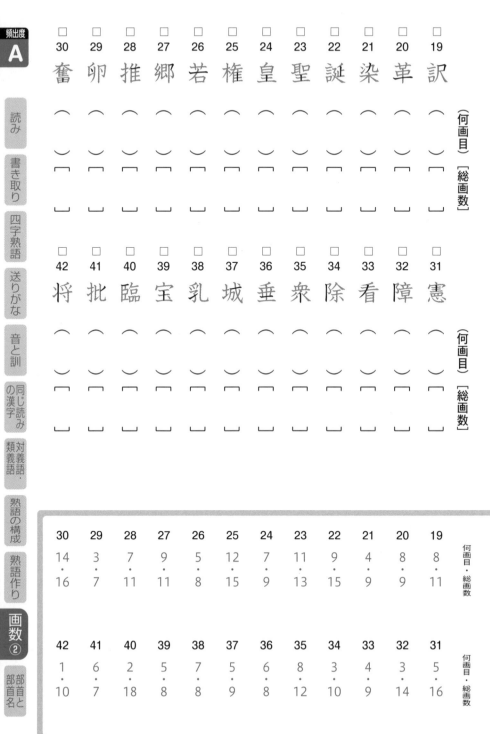

かならず押さえる！

頻出度 A

# 部首と部首名──①

目標正答率 95%

／20

※次の漢字の部首と部首名をそれぞれ下の［ ］の中から選び、記号で記せ。

| | 漢字 | （部首） | ［部首名］ |
|---|---|---|---|
| 1 | 裁 | （ ） | ［ ］ |
| 2 | 熟 | （ ） | ［ ］ |
| 3 | 陛 | （ ） | ［ ］ |
| 4 | 座 | （ ） | ［ ］ |
| 5 | 層 | （ ） | ［ ］ |
| 6 | 署 | （ ） | ［ ］ |
| 7 | 我 | （ ） | ［ ］ |
| 8 | 臓 | （ ） | ［ ］ |

あ 阝　い 月　う 冖　え 入
お 亠　か 勹　き 止　く 尸
け 戈　こ 广　さ 土　し 白
す 罒　せ 灬　そ 衣　た 辶

ア なべぶた、けいさんかんむり　イ つち
ウ しろ　エ かばね、しかばね
オ こざとへん　カ にくづき
キ れんが、れっか　ク とめる
ケ つつみがまえ　コ わかんむり
サ あみがしら、あみめ、よこめ
シ しんにょう、しんにゅう
ス ほこづくり、ほこがまえ　セ ころも
ソ まだれ　タ ひとやね

**標準解答**

| | 1 | 2 | 3 | 4 | 5 | 6 | 7 | 8 |
|---|---|---|---|---|---|---|---|---|
| 部首 | そ | せ | あ | こ | く | す | け | い |
| 部首名 | セ | キ | オ | ソ | エ | サ | ス | カ |

（部首）〔部首名〕

□9 庁（　）〔　〕
□10 郷（　）〔　〕
□11 聖（　）〔　〕
□12 簡（　）〔　〕
□13 敬（　）〔　〕
□14 冊（　）〔　〕
□15 枚（　）〔　〕
□16 肺（　）〔　〕
□17 困（　）〔　〕
□18 蔵（　）〔　〕
□19 劇（　）〔　〕
□20 宗（　）〔　〕

ち 一　な 示　の 里　へ 厂　む 山　ゆ 冖
つ 阝　に 刂　は 幺　ほ 臣　め 月　よ 攵
て 弋　ぬ 木　ひ 士　ま 冂　も 𥫗　ら 日
と 口　ね 艹　ふ 谷　み 耳　や 广　り 宀

チ まだれ　テ くにがまえ　ナ たけかんむり　ヌ さと　ノ しきがまえ　ヒ みみ　フ どうがまえ、けいがまえ、まきがまえ　ヘ わかんむり　マ おおざと　ム にくづき　モ きへん　ユ たに　ラ うけばこ
ツ りっとう　ト くさかんむり　ニ しん　ネ いち　ハ のぶん、ぼくづくり　ホ ひ　ミ がんだれ　メ しめす　ヤ よう、いとがしら　ヨ うかんむり　リ さむらい

| | 9 | 10 | 11 | 12 | 13 | 14 | 15 | 16 | 17 | 18 | 19 | 20 |
|---|---|---|---|---|---|---|---|---|---|---|---|---|
| 部首 | や | つ | み | も | よ | ま | ぬ | め | と | ね | に | り |
| 部首名 | チ | マ | ヒ | ナ | ハ | フ | モ | ム | テ | ト | ツ | ヨ |

かならず押さえる!
頻出度
# A

# 部首と部首名――②

目標正答率 95%

／20

※次の漢字の部首と部首名をそれぞれ下の［　］の中から選び、記号で記せ。

| | | （部首） | ［部首名］ |
|---|---|---|---|
| 1 | 盟 | （　） | ［　］ |
| 2 | 刻 | （　） | ［　］ |
| 3 | 届 | （　） | ［　］ |
| 4 | 筋 | （　） | ［　］ |
| 5 | 閣 | （　） | ［　］ |
| 6 | 誕 | （　） | ［　］ |
| 7 | 蒸 | （　） | ［　］ |
| 8 | 郵 | （　） | ［　］ |

あ 小　い 言　う 口　え 卩
お 門　か 里　き 刂　く ⺮
け 寸　こ 耂　さ 艹　し 皿
す 尸　せ 糸　そ 阝　た 大

**ア** だい　**イ** ごんべん
**ウ** しょう　**エ** おいかんむり、おいがしら
**オ** もんがまえ　**カ** いと
**キ** わりふ、ふしづくり　**ク** すん
**ケ** りっとう　**コ** おおざと
**サ** かばね、しかばね　**シ** さと
**ス** さら　**セ** くちへん
**ソ** くさかんむり　**タ** たけかんむり

**標準解答**

| | 1 | 2 | 3 | 4 | 5 | 6 | 7 | 8 |
|---|---|---|---|---|---|---|---|---|
| 部首 | し | き | す | く | お | い | さ | そ |
| 部首名 | ス | ケ | サ | タ | オ | イ | ソ | コ |

□ 9 勤 （部首）（　） 〔部首名〕〔　〕
□ 10 痛 （　） 〔　〕
□ 11 欲 （　） 〔　〕
□ 12 賃 （　） 〔　〕
□ 13 創 （　） 〔　〕
□ 14 泉 （　） 〔　〕
□ 15 宇 （　） 〔　〕
□ 16 盛 （　） 〔　〕
□ 17 幕 （　） 〔　〕
□ 18 胸 （　） 〔　〕
□ 19 憲 （　） 〔　〕
□ 20 拡 （　） 〔　〕

ち 口　つ 一　て 氵　と 扌
な 木　に 皿　ぬ 欠　ね 亠
の 巾　は 月　ひ 心　ふ 刂
へ 戈　ほ 疒　ま 尸　み 貝
む 穴　め 阝　も 田　や 言
ゆ 力　よ 水　ら 罒　り 又

**チ** あみがしら、あみめ、よこめ　**ツ** た
**テ** やまいだれ　**ト** えんにょう
**ナ** みず　**ニ** かばね、しかばね
**ヌ** てへん　**ネ** ほこづくり、ほこがまえ
**ノ** こざとへん　**ハ** いち
**ヒ** ちから　**フ** あくび、かける
**ヘ** うかんむり　**ホ** さんずい
**マ** はば　**ミ** にくづき
**ム** りっとう　**メ** さら
**モ** あなかんむり　**ヤ** き
**ユ** こころ　**ヨ** かい、こがい
**ラ** ごんべん　**リ** くにがまえ

| | 9 | 10 | 11 | 12 | 13 | 14 | 15 | 16 | 17 | 18 | 19 | 20 |
|---|---|---|---|---|---|---|---|---|---|---|---|---|
| 部首 | ゆ | ほ | ぬ | み | ふ | よ | ね | に | の | は | ひ | と |
| 部首名 | ヒ | テ | フ | ヨ | ム | ナ | ヘ | メ | マ | ミ | ユ | ヌ |

# 漢字パズル 1

二字熟語を作りながら、迷路を進みましょう。はてさて無事にゴールインできるかな？

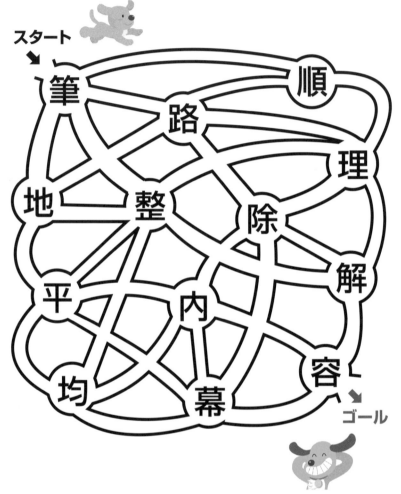

答え

筆→順→路→地→平→均→整→理→解→除→幕→内→容
（筆順　順路　路地　地平　平均　均整　整理　理解　解除　除幕　幕内　内容）

合否の分かれ目！

# 重要問題

## 第2章

頻出度

# B

合否の分かれ目！

頻出度 B

# 読み—①

目標正答率 95%

／40

※次の——線の読みをひらがなで記せ。

□ 1 アフリカ大陸を車で**縦断**する。

□ 2 ひどい**痛**みを薬でしずめた。

□ 3 発表会でフルートを**演奏**する。

□ 4 **地域**によって習慣がことなる。

□ 5 **大観衆**の声えんが選手の力となった。

□ 6 住民のうったえは**否決**された。

□ 7 書店で**著者**のサイン会がある。

□ 8 不良品を**除**いて箱につめる。

□ 9 有名な**仏閣**をおとずれた。

□ 10 目上の人を**敬**うのは常識だ。

□ 11 ピアニストの**独奏**に聞き入った。

□ 12 書類を**縮小**してコピーする。

□ 13 父は**誠実**な人だといわれている。

□ 14 両親の**忠告**には感謝している。

□ 15 友だちには**明朗**な人が多い。

□ 16 多くの観客が**劇場**に詰《つ》めかけた。

□ 17 政治の**改革**に期待する。

□ 18 大会に向けクラス全員が**奮起**した。

標準解答

1 じゅうだん
2 いた
3 えんそう
4 ちいき
5 かんしゅう
6 ひけつ
7 ちょしゃ
8 のぞ
9 ぶっかく
10 うやま
11 どくそう
12 しゅくしょう
13 せいじつ
14 ちゅうこく
15 めいろう
16 げきじょう
17 かいかく
18 ふんき

□ 19 めずらしい**郵便**切手を集めている。

□ 20 **樹液**を吸いにきた虫をつかまえる。

□ 21 わたしの**近視**は遺伝です。

□ 22 **警察署**にパトカーが集まってきた。

□ 23 真夜中に**警報**の音で飛び起きた。

□ 24 たくましい**骨格**の持ち主だ。

□ 25 年れいを理由に政界を**退く**。

□ 26 夏休みのラジオ**体操**に参加する。

□ 27 **生誕**二百年の記念コンサートだ。

□ 28 **冬至**は一年で昼が最も短い。

□ 29 **内訳**は表に書いてあるとおりです。

□ 30 **俳優**を目指し養成学校に入る。

□ 31 関取が**土俵**に清めの塩をまく。

□ 32 道路建設の計画が**宙**にういている。

□ 33 かれは**朗報**を知らせに来てくれた。

□ 34 お年玉を銀行に**預**ける。

□ 35 係の**役割**を話し合って決める。

□ 36 品切れで定刻前に**閉店**した。

□ 37 大きく深**呼吸**してください。

□ 38 激しい雨で**視界**が悪い。

□ 39 朝から**晩**まで畑仕事をしていた。

□ 40 たまった**雑誌**を処分する。

19 ゆうびん
20 じゅえき
21 きんし
22 けいさつしょ
23 けいほう
24 こっかく
25 しりぞ
26 たいそう
27 せいたん
28 とうじ
29 うちわけ
30 はいゆう
31 どひょう
32 ちゅう
33 ろうほう
34 あず
35 やくわり
36 へいてん
37 こきゅう
38 しかい
39 ばん
40 ざっし

合否の分かれ目!
頻出度

# B 読み―②

※次の――線の読みをひらがなで記せ。

□1 粗《そ》大ゴミは**処理**料がかかる。
□2 読書は**視野**を広げるのに役立つ。
□3 競技中の接しょくで**骨折**した。
□4 **宇宙船**で果てしない旅に出た。
□5 家庭**訪問**で先生がこられた。
□6 終点までの**運賃**を駅員にたずねる。
□7 顔はそっくりでも性格は**異**なる。
□8 三日分の食料を**貯蔵**する。
□9 チームの**主将**同士があく手をかわす。
□10 新しい所長が**就任**した。
□11 自宅付近で**公衆**電話を探す。
□12 会議では激しい**議論**が展開された。
□13 小説の**巻末**にある解説文を読む。
□14 **看護師**を目指して勉強する。
□15 姉が**洋裁**学校を卒業した。
□16 **鉄棒**で苦手な逆上がりを練習する。
□17 **郷土**に伝わる民芸を研究する。
□18 連敗で首位の**座**を明けわたした。

目標正答率
95%
／40

標準解答

1 しょり
2 しや
3 こっせつ
4 うちゅうせん
5 ほうもん
6 うんちん
7 こと
8 ちょぞう
9 しゅしょう
10 しゅうにん
11 こうしゅう
12 ぎろん
13 かんまつ
14 かんごし
15 ようさい
16 てつぼう
17 きょうど
18 ざ

頻出度 B

読み②

書き取り / 四字熟語 / 送りがな / 音と訓 / 同じ読みの漢字 / 対義語・類義語 / 熟語の構成 / 熟語作り / 画数 / 部首と部首名

□ 19 一寸の虫にも五分のたましい。
□ 20 著名な画家が個展を開いた。
□ 21 なべのつゆが蒸発し料理がこげた。
□ 22 円熟した芸に目を見張る。
□ 23 干潮の海辺でしおひがりをした。
□ 24 蚕糸をつむいで織物を作る。
□ 25 役所の手続きは簡略化すべきだ。
□ 26 よっぱらいが警官に悪態をついた。
□ 27 ばく発で拡散した土砂が積もった。
□ 28 住宅展示場で好みの家を探す。
□ 29 かの女がこの劇団の看板女優だ。
□ 30 暗幕にできた穴が星のように光る。
□ 31 この海域での漁は禁止です。
□ 32 問題を解くのに三十分かかった。
□ 33 人間の力には限界がある。
□ 34 絹綿はもめんより高級だ。
□ 35 かれは出世して孝養をつくした。
□ 36 皇后様ゆかりのホテルにとまった。
□ 37 決済まであと三日だ。
□ 38 発見者の証言に疑念が生じた。
□ 39 まんが本は別冊も楽しみだ。
□ 40 ここの観覧車は日本で一番大きい。

19 いっすん
20 こてん
21 じょうはつ
22 えんじゅく
23 かんちょう(ひしお)
24 さんし
25 かんりゃく
26 あくたい
27 かくさん
28 じゅうたく
29 かんばん
30 あんまく
31 かいいき
32 と
33 げんかい
34 きぬわた
35 こうよう
36 こうごう
37 けっさい
38 ぎねん
39 べっさつ
40 かんらんしゃ

合否の分かれ目!
頻出度

# B 読み ― ③

目標正答率 95%

／40

※次の――線の読みをひらがなで記せ。

□ 1 学生**割引**料金で入館した。
□ 2 来月は**衆議院**選挙が行われる。
□ 3 交番に**遺失物**の届けを出す。
□ 4 新しい知識を**吸収**する。
□ 5 **拡声器**の音量を下げてください。
□ 6 どんよりとした**灰色**の雲が流れる。
□ 7 国際会議の**警備**を強化する。
□ 8 相手チームには**策士**がいる。
□ 9 **新政権**が経済を安定させた。
□ 10 役場が市民に災害情報を**提供**する。
□ 11 専門家に商品の**価値**をたずねる。
□ 12 事故の**原因**を調べる。
□ 13 **筋骨**りゅうりゅうとした若者。
□ 14 たまには親**孝行**しなさい。
□ 15 やる気だけで**技量**がともなわない。
□ 16 **自己**の能力をいかせる職につく。
□ 17 子どもの数は年々**減少**している。
□ 18 豆まきは中国の風習が**起源**といわれる。

**標準解答**

1 わりびき
2 しゅうぎいん
3 いしつぶつ
4 きゅうしゅう
5 かくせいき
6 はいいろ
7 けいび
8 さくし
9 しんせいけん
10 ていきょう
11 かち
12 げんいん
13 きんこつ
14 こうこう
15 ぎりょう
16 じこ
17 げんしょう
18 きげん

19 まるで人生の**縮図**のようだ。
20 **危急**存亡の野生動物を守る。
21 国会会期が**延長**された。
22 園遊会に**皇族**がおみえになった。
23 この写真は**原寸**大です。
24 **厳寒**の北海道にも春が来た。
25 **誤字**がないように見直す。
26 日本は昔から**絹織物**で有名だ。
27 かれは**劇作家**をめざしている。
28 **激戦**を勝ちぬいて優勝する。
29 **結論**は話し合って決めよう。

30 新色の**口紅**を買った。
31 **今晩**サッカーのテレビ中継《けい》がある。
32 自転車で家と学校を三**往復**もした。
33 山頂を**縦走**する登山客の列が続く。
34 羊は**従順**な動物だ。
35 砂鉄は**磁石**にすいつく。
36 約束の**時刻**はとっくに過ぎている。
37 **骨子**がはっきりした説明だ。
38 肉や魚のほか**穀類**も食べよう。
39 畑を**耕作**し野菜を育てる。
40 **指揮**者は得意げにあいさつした。

19 しゅくず
20 ききゅう
21 えんちょう
22 こうぞく
23 げんすん
24 げんかん
25 ごじ
26 きぬおりもの
27 げきさっか
28 げきせん
29 けつろん
30 くちべに
31 こんばん
32 おうふく
33 じゅうそう
34 じゅうじゅん
35 じしゃく
36 じこく
37 こっし
38 こくるい
39 こうさく
40 しき

合否の分かれ目！
頻出度
B

# 読み―④

※次の――線の読みをひらがなで記せ。

□ 1 人のやさしさが**骨身**にしみた。
□ 2 **優先**順位を決めて作業する。
□ 3 父の**遺志**は、わたしには重荷だった。
□ 4 **劇薬**なので注意してください。
□ 5 修学旅行の小**冊子**を編集する。
□ 6 祖父はとても**厳格**な人だ。
□ 7 **作業机**の上は木くずでいっぱいだ。
□ 8 カレーを二杯《はい》食べて**満腹**になった。
□ 9 犯人はあっさりと**自供**した。
□ 10 内閣の**首班**は総理大臣です。
□ 11 ジョージは英国**貴族**の出身です。
□ 12 実業界で**縦横**にかつやくする。
□ 13 **姿見**で全身の服装をチェックする。
□ 14 とっておきの**手段**を用いる。
□ 15 計画の変更《こう》で**支障**が出た。
□ 16 買い物には大型バッグが**重宝**する。
□ 17 車のローンを**完済**した。
□ 18 改めてかれに**再考**をうながす。

目標正答率 95%
／40

**標準解答**

1 ほねみ
2 ゆうせん
3 いし
4 げきやく
5 さっし
6 げんかく
7 さぎょうづくえ
8 まんぷく
9 じきょう
10 しゅはん
11 きぞく
12 じゅうおう
13 すがたみ
14 しゅだん
15 ししょう
16 ちょうほう
17 かんさい
18 さいこう

□19 みなの**視線**を感じてとまどった。

□20 軍の**実権**はかれがにぎっている。

□21 実験室で**混合液**を作る。

□22 議員の不正が**誌面**をにぎわせた。

□23 茶道の**宗家**を和室へ招いた。

□24 **磁気**を帯びた鉄にさわる。

□25 えんにちで**射的**を楽しんだ。

□26 **昨晩**はすずしくてよく眠《ねむ》れた。

□27 アジアは有名な**穀倉**地帯だ。

□28 種をまき一週間で**若芽**が出た。

□29 **大衆**小説を得意とする作家だ。

□30 世界の文化を**探訪**する旅に出る。

□31 大型新人の**出現**で活気が増した。

□32 かれの**善行**は語りつがれた。

□33 **誠意**をもって接する。

□34 ウイスキーは**蒸留**酒です。

□35 雨で試合が**順延**になった。

□36 定規でじょうずに**垂線**を引く。

□37 かれは大切な**相棒**だ。

□38 **針仕事**は目がつかれる。

□39 **内臓**に異常が見つかった。

□40 **過密**都市の道は車も多い。

19 しせん
20 じっけん
21 こんごうえき
22 しめん
23 そうけ
24 じき
25 しゃてき
26 さくばん
27 こくそう
28 わかめ
29 たいしゅう
30 たんぼう
31 しゅつげん
32 ぜんこう
33 せいい
34 じょうりゅう
35 じゅんえん
36 すいせん
37 あいぼう
38 はりしごと
39 ないぞう
40 かみつ

合否の分かれ目！
頻出度

# B 書き取り―①

目標正答率
80%

／40

※次の――線のカタカナを漢字に直せ。

□ 1 ユウラン船で湖を一周する。
□ 2 おじの牧場でチチしぼりを手伝う。
□ 3 今夜の空モヨウをお伝えします。
□ 4 多くのワカモノが祭りに参加した。
□ 5 支持するセイトウはどこですか。
□ 6 チイキの住民が団結する。
□ 7 商品の品質はいいがネダンが高い。
□ 8 毎年所得に応じてノウゼイする。
□ 9 海に近いオンダンな地方でくらす。
□ 10 思い出の写真を大切にホゾンする。
□ 11 かれは教え子からソンケイされている。
□ 12 病気が治りショクヨクが回復する。
□ 13 キョウドの民芸館が完成した。
□ 14 ノウ外《げ》科医を目指して勉強中だ。
□ 15 道路のカタガワの通行を規制する。
□ 16 コンバンのおかずは焼き魚だ。
□ 17 センデンにつられて買ってしまった。
□ 18 鉄道モケイが展示されている。

**標準解答**

1 遊覧
2 乳
3 模様
4 若者
5 政党
6 地域
7 値段
8 納税
9 温暖
10 保存
11 尊敬
12 食欲
13 郷土
14 脳
15 片側
16 今晩
17 宣伝
18 模型

□ 19 ケイサツが立入禁止のロープをはる。
□ 20 転んだときのキズあとが消えた。
□ 21 犬は飼い主にチュウジツである。
□ 22 道路が地ワれで寸断される。
□ 23 卒業記念に桜をショクジュした。
□ 24 みずみずしいワカバの季節になった。
□ 25 試合時間がエンチョウされた。
□ 26 友人と神社にサンパイした。
□ 27 高校野球のチョウテンに立った。
□ 28 人間はハイで呼吸する。
□ 29 幼児はカタトキも目がはなせない。

□ 30 家のハイゴは雑木林だった。
□ 31 信号を曲がるとショウボウショがある。
□ 32 工作の材料にハリガネを使う。
□ 33 社会的な弱者のジンケンを守る。
□ 34 眼科でシリョクを検査してもらう。
□ 35 救急隊員のショチは正確ですばやい。
□ 36 夏休みは母のキョウリで過ごす。
□ 37 レイゾウコから卵を取り出す。
□ 38 豊かな森林は貴重なシゲンだ。
□ 39 銀行に全財産をアズける。
□ 40 本のカンマツを見てください。

19 警察
20 傷
21 忠実
22 割
23 植樹
24 若葉
25 延長
26 参拝
27 頂点
28 肺
29 片時

30 背後
31 消防署
32 針金
33 人権
34 視力
35 処置
36 郷里
37 冷蔵庫
38 資源
39 預
40 巻末

合否の分かれ目！
頻出度
B

# 書き取り―②

目標正答率
80%
／40

※次の――線のカタカナを漢字に直せ。

□ 1 テイコク通りに列車が出発する。
□ 2 強風で校庭のスナがまい上がった。
□ 3 大キボな都市開発を計画する。
□ 4 自国のケンポウを学習する。
□ 5 歯医者の待合室でザッシを読む。
□ 6 母はハリ仕事が得意だ。
□ 7 本日はリンジ休業いたします。
□ 8 新しいナイカクの顔ぶれが決まった。
□ 9 ドヒョウには米やこんぶがうまっている。
□ 10 花火工場では火気ゲンキンです。
□ 11 夜回りのクイキは三丁目までだ。
□ 12 始業スンゼンに教室にかけこむ。
□ 13 授業が終わってすぐにキタクした。
□ 14 客席はワカい人で満員だ。
□ 15 精力的にシュウショク活動をする。
□ 16 久しぶりにエイガ館をおとずれた。
□ 17 シオが引いてひがたが広がった。
□ 18 ジュモクから枝が落ちる。

**標準解答**

1 定刻
2 砂
3 規模
4 憲法
5 雑誌
6 針
7 臨時
8 内閣
9 土俵
10 厳禁
11 区域
12 寸前
13 帰宅
14 若
15 就職
16 映画
17 潮
18 樹木

19 プレゼントをタクハイ便で送る。
20 キンニクがついて足が太くなる。
21 体重とキョウイを測定する。
22 食事ではトウブンをひかえなさい。
23 今日は寒さが一段とキビしい。
24 夕日で海面が赤くソまった。
25 ムズカしい問題に苦戦する。
26 目をトじて空想にふける。
27 教会にはレイハイ堂がある。
28 人のことを考えないリコ的な人だ。
29 地元の人にアナバ情報を教わる。

30 問題をすみやかにショリする。
31 この植物は根にヤッコウがある。
32 ショウガイを乗りこえて優勝する。
33 その荷物はウラグチに運んでください。
34 父のお気に入りのハイザラだ。
35 兄は時代小説をランドクしている。
36 大学でホウリツを学んでいる。
37 秋は野山のコウヨウが美しい。
38 長年のギモンがやっと解決した。
39 幹部のハイニンで会社がゆれている。
40 国際会議でツウヤクを務める。

19 宅配
20 筋肉
21 胸囲
22 糖分
23 厳
24 染
25 難
26 閉
27 礼拝
28 利己
29 穴場

30 処理
31 薬効
32 障害
33 裏口
34 灰皿
35 乱読
36 法律
37 紅葉(黄葉)
38 疑問
39 背任
40 通訳

合否の分かれ目！
頻出度
B

# 書き取り③

目標正答率
80%
／40

※次の――線のカタカナを漢字に直せ。

□1 祖父の家まで**カタミチ**三十分だ。
□2 おばは**ウメボ**し作りの名人だ。
□3 **セ**よりも高いススタケをかき分けた。
□4 この道路は市内を**ジュウダン**している。
□5 姉に**クチベニ**を借りる。
□6 容疑者が**ハンコウ**を認めた。
□7 客数に**ヒレイ**し売り上げがのびた。
□8 **マクウチ**力士の取り組みが始まる。
□9 **ショウガイ**事件が発生した。
□10 あいつは**ハラグロ**い男だ。
□11 学校の前は桜**ナミキ**が続く。
□12 さまざまな要因が**フクゴウ**した問題だ。
□13 万事が裏目に出る**ヒウン**をなげく。
□14 質問を**ヒテイ**する。
□15 弟はゲームに**ムチュウ**だ。
□16 **ベッサツ**の特集を参考にする。
□17 家族で先祖の**ハカマイ**りをする。
□18 **フンキ**して練習に精を出した。

**標準解答**

1 片道
2 梅干
3 背
4 縦断
5 口紅
6 犯行
7 比例
8 幕内
9 傷害
10 腹黒
11 並木
12 複合
13 非運（否運）
14 否定
15 夢中
16 別冊
17 墓参
18 奮起

19 集会の情報を当局に**ミッコク**する。
20 町内の**ボウサイ**訓練に参加する。
21 政治に民意を**ハンエイ**する。
22 合成ではなく本物の**ヒカク**製品だ。
23 兄は代議士の**ヒショ**です。
24 外交使節が**ヒョウケイ**訪問する。
25 神父は村人への**フキョウ**に精力的だ。
26 未来に明るい**テンボウ**が開ける。
27 体育館で**ハイカツリョウ**を測定する。
28 ことばと態度で**セイイ**を示す。
29 **ジコ**の責任において行動せよ。

30 海岸のがけで**チソウ**を調べた。
31 前幹事長が**トウシュ**に選出された。
32 医学生が**ノウシ**問題を議論する。
33 母にパソコンの**ソウサ**を教えた。
34 かれは大根役者だが**ニマイメ**だ。
35 とても**ドクソウテキ**な作品だ。
36 来週は学級**ニッシ**の当番だ。
37 **ハカク**の値段で宝石を買った。
38 田畑の**タクチ**化が進んでいる。
39 事後処理が**ナンコウ**している。
40 好きなだけ**ゾンブン**に食べる。

19 密告
20 防災
21 反映
22 皮革
23 秘書
24 表敬
25 布教
26 展望
27 肺活量
28 誠意
29 自己

30 地層
31 党首
32 脳死
33 操作
34 二枚目
35 独創的
36 日誌
37 破格
38 宅地
39 難航
40 存分

合否の分かれ目!
頻出度
B

# 書き取り④

※次の――線のカタカナを漢字に直せ。

□ 1 親友に**ヒミツ**を打ち明ける。
□ 2 ことわざを**ハイシャク**する。
□ 3 大臣の**ライホウ**を出むかえる。
□ 4 家族のため**ホネミ**をけずって働く。
□ 5 悪質ないたずらに**リップク**した。
□ 6 物語の**ジョショウ**で読者を引きつける。
□ 7 **タ**えることなく水が流れる。
□ 8 サケは**オヤシオ**にのって回遊する。
□ 9 詩人は冷戦時代に**ボウメイ**した。
□ 10 学校の**ヤケイ**をまかされた。
□ 11 生徒を正しい道に**ミチビ**く。
□ 12 口コミで人気のほお**ベニ**を買う。
□ 13 作曲家が新曲を自ら**ソウガク**した。
□ 14 **リンカイ**地帯に工場が建ち並ぶ。
□ 15 祭りの運営費は町民が**フタン**する。
□ 16 まだ十万円の**カ**しが残っている。
□ 17 アリバイの**ショウニン**を探す。
□ 18 **シンヨウジュ**の森が広がっている。

目標正答率
80%

／40

## 標準解答

| | | | |
|---|---|---|---|
| 1 | 秘密 | 10 | 夜警 |
| 2 | 拝借 | 11 | 導 |
| 3 | 来訪 | 12 | 紅 |
| 4 | 骨身 | 13 | 奏楽 |
| 5 | 立腹 | 14 | 臨海 |
| 6 | 序章 | 15 | 負担 |
| 7 | 絶 | 16 | 貸 |
| 8 | 親潮 | 17 | 証人 |
| 9 | 亡命 | 18 | 針葉樹 |

□ 19 夕食は**フンパツ**して焼き肉にする。
□ 20 **シンカンセン**で京都に行く。
□ 21 本日の天気は**セイロウ**なり。
□ 22 名高い**ロンキャク**と対談する。
□ 23 大男だがノミの**シンゾウ**の持ち主だ。
□ 24 投手は退場を**センコク**された。
□ 25 **タテブエ**の音が聞こえてくる。
□ 26 温泉気分の味わえる**セントウ**だ。
□ 27 **ソコウ**の悪い生徒の世話に手を焼く。
□ 28 兄は研究に**センネン**している。
□ 29 父は**セイコウ**工場で働いている。
□ 30 **セイショ**には新約と旧約がある。
□ 31 長い時間**セイザ**をして足がしびれた。
□ 32 古都には立派な**ジョウモン**がある。
□ 33 古代の**セイドウキ**が発見された。
□ 34 君の目は**フシアナ**かい。
□ 35 事業の**セイヒ**は社長のうでしだいだ。
□ 36 和室の**ショウジ**をはりかえた。
□ 37 試合は**セッセン**となり白熱した。
□ 38 **ジョウコウグチ**で落とし物を拾う。
□ 39 **ショセツ**が入り乱れ真相は不明だ。
□ 40 早急に**ゼンショ**する。

19 奮発
20 新幹線
21 晴朗
22 論客
23 心臓
24 宣告
25 縦笛
26 銭湯
27 素行
28 専念
29 製鋼
30 聖書
31 正座
32 城門
33 青銅器
34 節穴
35 成否
36 障子
37 接戦
38 乗降口
39 諸説
40 善処

合否の分かれ目！
頻出度

# B 四字熟語 ①

※次の――線のカタカナを漢字に直し、四字熟語を完成させよ。

□ 1 秘ミツ文書 ［公開しない書類］

□ 2 雨天ジュン延 ［雨のため期日を先に延ばすこと］

□ 3 政治改カク ［それまでの政治の仕組みを変えること］

□ 4 リン時国会 ［必要時に一時的に開かれる国会］

□ 5 発車時コク ［電車や自動車などが出発する時間］

□ 6 期間エン長 ［期日を後ろにおくらせること］

□ 7 ケイ備体制 ［不測の事態に備えるちつ序だった組織］

□ 8 イ産相続 ［故人が残した財産などを受けつぐこと］

□ 9 セン門分野 ［自身が研究や担当をしている領域］

□ 10 推リ小説 ［犯罪事件を解明していく小説］

□ 11 地イキ社会 ［特定の地いきに住む人々からなる社会］

□ 12 人員点コ ［人数が合っているか確認すること］

□ 13 無理ナン題 ［受け入れがたい要求］

□ 14 ザ席指定 ［乗り物などで希望の席を指定すること］

□ 15 公シ混同 ［公での立場に、し情を持ちこむこと］

□ 16 人気絶チョウ ［世間の評判が最高ちょうであること］

□ 17 ユウ便番号 ［はがきなどの配達先を区分する数字］

□ 18 自コ満足 ［自分の言動に満足すること］

目標正答率 80%

／40

## 標準解答

1 秘《ひ》密《みつ》文《ぶん》書《しょ》

2 雨《う》天《てん》順《じゅん》延《えん》

3 政《せい》治《じ》改《かい》革《かく》

4 臨《りん》時《じ》国《こっ》会《かい》

5 発《はっ》車《しゃ》時《じ》刻《こく》

6 期《き》間《かん》延《えん》長《ちょう》

7 警《けい》備《び》体《たい》制《せい》

8 遺《い》産《さん》相《そう》続《ぞく》

9 専《せん》門《もん》分《ぶん》野《や》

10 推《すい》理《り》小《しょう》説《せつ》

11 地《ち》域《いき》社《しゃ》会《かい》

12 人《じん》員《いん》点《てん》呼《こ》

13 無《む》理《り》難《なん》題《だい》

14 座《ざ》席《せき》指《し》定《てい》

15 公《こう》私《し》混《こん》同《どう》

16 人《にん》気《き》絶《ぜっ》頂《ちょう》

17 郵《ゆう》便《びん》番《ばん》号《ごう》

18 自《じ》己《こ》満《まん》足《ぞく》

□19 高ソウ住宅 ［建物の階数の多い、人が住むための建物］

□20 森林資ゲン ［森から得られる木材などの有用な物質］

□21 カタ側通行 ［道のかた側を通ること］

□22 ホ足説明 ［不十分な点をおぎなって説明する］

□23 人エコ吸 ［人の手で肺に空気を送りこむこと］

□24 安全ソウ置 ［危険防止のためのしかけ］

□25 世界イ産 ［世界的に価値が認められた土地や建物］

□26 天然資ゲン ［自然が生み出す原材料］

□27 セイ密機械 ［公差の小さい高度な機械］

□28 質疑オウ答 ［疑わしい点をたずねたり答えたりする］

□29 工業地イキ ［工業関連の建物が集まっている地いき］

□30 タク地造成 ［たく地にするため土地を変えること］

□31 キ本方針 ［目指す方向の根本となるもの］

□32 条ケン反射 ［ある働きかけに一定の反応を示すこと］

□33 問題ショ理 ［問題を片付けること］

□34 自コ本位 ［物事を自分中心に考え行うこと］

□35 消化キュウ収 ［せっ取した物から栄養素を取り入れること］

□36 記録エイ画 ［実際にあった出来事を記録したえい画］

□37 同時通ヤク ［ほとんど時間を置かずに通やくすること］

□38 遠水キン火 ［遠くのものは急場の役に立たない］

□39 創作意ヨク ［作品などを作ろうと思う積極的な気持ち］

□40 水分ホ給 ［消費した水分をおぎないあたえること］

19 高層住宅《こうそうじゅうたく》
20 森林資源《しんりんしげん》
21 片側通行《かたがわつうこう》
22 補足説明《ほそくせつめい》
23 人工呼吸《じんこうこきゅう》
24 安全装置《あんぜんそうち》
25 世界遺産《せかいいさん》
26 天然資源《てんねんしげん》
27 精密機械《せいみつきかい》
28 質疑応答《しつぎおうとう》
29 工業地域《こうぎょうちいき》

30 宅地造成《たくちぞうせい》
31 基本方針《きほんほうしん》
32 条件反射《じょうけんはんしゃ》
33 問題処理《もんだいしょり》
34 自己本位《じこほんい》
35 消化吸収《しょうかきゅうしゅう》
36 記録映画《きろくえいが》
37 同時通訳《どうじつうやく》
38 遠水近火《えんすいきんか》
39 創作意欲《そうさくいよく》
40 水分補給《すいぶんほきゅう》

合否の分かれ目!
頻出度 B

# 四字熟語②

※次の——線のカタカナを漢字に直し、四字熟語を完成させよ。

□ 1 ヨッ求不満 ［よく望を満たせない状態］
□ 2 賛否リョウ論 ［異なる二つの意見・主張］
□ 3 ジョ雪作業 ［積もった雪を取りのぞく仕事］
□ 4 水産資ゲン ［海や川などに生息する動植物］
□ 5 自コ主張 ［自分の意見を強く言うこと］
□ 6 党首トウ論 ［政党の党首同士が意見を述べあうこと］
□ 7 一刻千キン ［わずかな時間が非常に貴重なこと］
□ 8 キュウ死一生 ［助かる見こみのない命が助かること］
□ 9 延チョウ試合 ［勝敗がつかず試合時間をのばすこと］
□ 10 悪ジ千里 ［悪いうわさは伝わりやすい］
□ 11 九牛一モウ ［取るに足りないこと］
□ 12 電光セッ火 ［動作が非常にすばやいこと］
□ 13 一大決シン ［重大な物事に対して決断すること］
□ 14 機略ジュウ横 ［自由自在の作戦］
□ 15 明鏡シ水 ［くもりがなくすみきった心境］
□ 16 黒風ハク雨 ［はげしい風雨］
□ 17 王ドウ楽土 ［正しく治められている平和な国］
□ 18 意気トウ合 ［たがいの気持ちがぴったり合うこと］

目標正答率 80%
／40

**標準解答**

1 欲求不満《よっきゅうふまん》
2 賛否両論《さんぴりょうろん》
3 除雪作業《じょせつさぎょう》
4 水産資源《すいさんしげん》
5 自己主張《じこしゅちょう》
6 党首討論《とうしゅとうろん》
7 一刻千金《いっこくせんきん》
8 九死一生《きゅうしいっしょう》
9 延長試合《えんちょうじあい》
10 悪事千里《あくじせんり》
11 九牛一毛《きゅうぎゅうのいちもう》
12 電光石火《でんこうせっか》
13 一大決心《いちだいけっしん》
14 機略縦横《きりゃくじゅうおう》
15 明鏡止水《めいきょうしすい》
16 黒風白雨《こくふうはくう》
17 王道楽土《おうどうらくど》
18 意気投合《いきとうごう》

□ 19 一オウ一来 [行ったり来たりすること]

□ 20 イ心伝心 [たがいの気持ちが通じ合うこと]

□ 21 意シキ改革 [考えや意見を改めかえること]

□ 22 不ゲン実行 [やるべきことをだまってすること]

□ 23 出ショ進退 [身のふり方]

□ 24 空理空ロン [実際には役に立たない考え]

□ 25 老成円ジュク [経験を積み豊かな内容を持つ]

□ 26 フ国強兵 [国の経済力を高め軍事力を強める]

□ 27 白カワ夜船 [ぐっすりねむること]

□ 28 下学上タツ [初歩から学び深い道に通じること]

□ 29 則天去シ [自分の欲を捨て自然にゆだねて生きること]

□ 30 南セン北馬 [あちこち旅行すること]

□ 31 ホウ年満作 [農作物の取り入れが多いこと]

□ 32 四苦ハッ苦 [非常に苦労すること]

□ 33 上意下タツ [上の考えや命令が下によく伝わる]

□ 34 金科玉ジョウ [いちばん大切な決まりや法律]

□ 35 理ヒ曲直 [正しいこととまちがったこと]

□ 36 ハク学多才 [広く学問に通じ才能豊かなこと]

□ 37 一子ソウ伝 [自分の子一人にだけ伝授すること]

□ 38 事務ショ理 [主に机上などでする仕事の始末]

□ 39 再三サイ四 [たびたび。しばしば]

□ 40 ゾウ反有理 [体制にそむくのにも道理がある]

19 一《いち》往《おう》一《いち》来《らい》
20 以《い》心《しん》伝《でん》心《しん》
21 意《い》識《しき》改《かい》革《かく》
22 不《ふ》言《げん》実《じっ》行《こう》
23 出《しゅっ》処《しょ》進《しん》退《たい》
24 空《くう》理《り》空《くう》論《ろん》
25 老《ろう》成《せい》円《えん》熟《じゅく》
26 富《ふ》国《こく》強《きょう》兵《へい》
27 白《しら》河《かわ》夜《よ》船《ふね》
28 下《か》学《がく》上《じょう》達《たつ》
29 則《そく》天《てん》去《きょ》私《し》

30 南《なん》船《せん》北《ほく》馬《ば》
31 豊《ほう》年《ねん》満《まん》作《さく》
32 四《し》苦《く》八《はっ》苦《く》
33 上《じょう》意《い》下《か》達《たつ》
34 金《きん》科《か》玉《ぎょく》条《じょう》
35 理《り》非《ひ》曲《きょく》直《ちょく》
36 博《はく》学《がく》多《た》才《さい》
37 一《いっ》子《し》相《そう》伝《でん》
38 事《じ》務《む》処《しょ》理《り》
39 再《さい》三《さん》再《さい》四《し》
40 造《ぞう》反《はん》有《ゆう》理《り》

合否の分かれ目！
頻出度
# B

# 音と訓―①

目標正答率
75%

／45

※次の熟語の読みは下記の□の中のどの組み合わせになっているか、ア～エの記号で答えよ。

ア 音と音
イ 音と訓
ウ 訓と訓
エ 訓と音

□1 黒潮
□2 地域
□3 株式
□4 王様
□5 定刻
□6 値段
□7 団子
□8 毛穴
□9 親分
□10 敵方
□11 郷土
□12 仏様
□13 客足
□14 誠意
□15 鉄棒
□16 密集
□17 冊数
□18 体操

## 標準解答

1 ウ
2 ア
3 エ
4 イ
5 ア
6 エ
7 イ
8 ウ
9 エ
10 イ
11 ア
12 ウ
13 イ
14 ア
15 ア
16 ア
17 ア
18 ア

□ 19 拡大
□ 20 補助
□ 21 改革
□ 22 骨格
□ 23 筋力
□ 24 創設
□ 25 幕内
□ 26 強気
□ 27 砂場

□ 28 逆順
□ 29 出窓
□ 30 提案
□ 31 授乳
□ 32 幼少
□ 33 生卵
□ 34 鋼鉄
□ 35 姿見
□ 36 洋間

□ 37 似顔
□ 38 翌日
□ 39 裏門
□ 40 親潮
□ 41 著書
□ 42 初夢
□ 43 炭俵
□ 44 家賃
□ 45 初耳

19 ア
20 ア
21 ア
22 ア
23 ア
24 ア
25 イ
26 エ
27 ウ

28 ア
29 ウ
30 ア
31 ア
32 ア
33 ウ
34 ア
35 ウ
36 イ

37 ウ
38 ア
39 エ
40 ウ
41 ア
42 ウ
43 ウ
44 エ
45 ウ

合否の分かれ目！
頻出度
B

# 音と訓―②

目標正答率
75%

／45

※次の熟語の読みは下記の［　］の中のどの組み合わせになっているか、ア〜エの記号で答えよ。

ア　音と音　　イ　音と訓
ウ　訓と訓　　エ　訓と音

□1　骨身
□2　開幕
□3　砂糖
□4　船賃
□5　身分
□6　沿線
□7　映像
□8　郵便
□9　両側
□10　肺臓
□11　規模
□12　絵巻
□13　簡素
□14　忠告
□15　苦手
□16　今晩
□17　心棒
□18　窓辺

## 標準解答

1　ウ
2　ア
3　ア
4　エ
5　エ
6　ア
7　ア
8　ア
9　イ
10　ア
11　ア
12　イ
13　ア
14　ア
15　ウ
16　ア
17　ア
18　ウ

- □ 19 乳歯
- □ 20 俳句
- □ 21 肉眼
- □ 22 極限
- □ 23 地主
- □ 24 連盟
- □ 25 荷物
- □ 26 駅前
- □ 27 加熱

- □ 28 穀類
- □ 29 客間
- □ 30 価値
- □ 31 役場
- □ 32 新芽
- □ 33 党派
- □ 34 警笛
- □ 35 着物
- □ 36 街角

- □ 37 内閣
- □ 38 干潮
- □ 39 若芽
- □ 40 後方
- □ 41 裏方
- □ 42 和式
- □ 43 絵筆
- □ 44 遺伝
- □ 45 首班

| | | | | | | | | |
|---|---|---|---|---|---|---|---|---|
| 19 | 20 | 21 | 22 | 23 | 24 | 25 | 26 | 27 |
| ア | ア | ア | ア | イ | ア | エ | イ | ア |
| 28 | 29 | 30 | 31 | 32 | 33 | 34 | 35 | 36 |
| ア | イ | ア | イ | イ | ア | ア | ウ | ウ |
| 37 | 38 | 39 | 40 | 41 | 42 | 43 | 44 | 45 |
| ア | ア | ウ | ア | ウ | ア | イ | ア | ア |

合否の分かれ目！
頻出度
B

# 同じ読みの漢字—①

目標正答率
75%

／40

※次の——線のカタカナを漢字に直せ。

□ 1 世界的名画が**テン**示された。
□ 2 **テン**字は指先でさわって読む。
□ 3 党首会**ダン**で連立が合意された。
□ 4 健康のために階**ダン**を利用する。
□ 5 亡父の**イ**志をつぎ家業をもりたてる。
□ 6 **イ**者に病状を相談する。
□ 7 **ショウ**来は教育者になりたい。
□ 8 あの男は**ショウ**来の働き者だ。
□ 9 とつ然の**ヒ**報にがく然とする。
□ 10 徳川時代の**ヒ**宝が地中にある。
□ 11 冷静に自**コ**を見つめる事も必要だ。
□ 12 飲酒運転での事**コ**が多発している。
□ 13 観**シュウ**の前で芸を演じた。
□ 14 地元の風**シュウ**にしたがう。
□ 15 畑の作物を**セイ**果市場に出荷する。
□ 16 五輪**セイ**火を会場までリレーする。

**標準解答**

1 展
2 点
3 談
4 段
5 遺
6 医
7 将
8 生
9 悲
10 秘
11 己
12 故
13 衆
14 習
15 青
16 聖

□17 トウ分の間、仕事はお休みだ。
□18 トウ分のとりすぎに注意しよう。

□19 ジ針は北の方向を指している。
□20 失敗はジ身で反省すべきだ。

□21 正カクな時間を調べる。
□22 明るい性カクの人は好まれる。

□23 フェリーの出航時コクがせまる。
□24 自コクの法律について考える。

□25 来場者は受付で記チョウする。
□26 貴チョウな映像が保管されている。

□27 給油所周辺の火気はゲン禁だ。
□28 銀行でゲン金を引き出す。

□29 難民に食物をシ給する。
□30 シ急を要する事態が起こった。

□31 キョウ土料理を客にふるまう。
□32 鉄骨のキョウ度を測定する。

□33 過ゲキな発言が人目を引いた。
□34 日本の歌ゲキが上演された。

□35 公シのけじめが欠落している。
□36 有名な講シによる授業を受ける。

□37 山からのケイ観はすばらしい。
□38 ケイ察官の仕事にほこりを持つ。

□39 日本の古テン文学を見直す。
□40 友人が駅前で個テンを開いた。

17 当
18 糖
19 磁
20 自
21 確
22 格
23 刻
24 国
25 帳
26 重
27 厳
28 現

29 支
30 至
31 郷
32 強
33 激
34 劇
35 私
36 師
37 景
38 警
39 典
40 展

合否の分かれ目！
頻出度
B

# 同じ読みの漢字――②

目標正答率
75%
／40

※次の――線のカタカナを漢字に直せ。

□ 1 コペルニクス的テン回が必要だ。
□ 2 白熱した論議がテン開される。

□ 3 このシ料は歴史的価値がある。
□ 4 牛のシ料を外国から買い入れる。

□ 5 コウ葉の山道を歩く。
□ 6 親にコウ養をつくしなさい。

□ 7 あの方は高キな生まれだ。
□ 8 式典で校キをけいようした。

□ 9 二学期のシュウ業式を行う。
□ 10 社のシュウ業規則を定める。

□ 11 現場へ単シンで乗りこんだ。
□ 12 時計の短シンが動かなくなった。

□ 13 タイ院の日に医師に礼を告げた。
□ 14 現場に消防タイ員がかけつけた。

□ 15 四キ折々の花がさき乱れる。
□ 16 地域の楽団で指キ者となる。

## 標準解答

1 転
2 展
3 資（史）
4 飼
5 紅（黄）
6 孝
7 貴
8 旗
9 終
10 就
11 身
12 針
13 退
14 隊
15 季
16 揮

□17 長カンが記者会見をする。
□18 大事件が朝カンの一面をかざる。
□19 試合にヤブれてくやむ。
□20 ヤブれたページを修理する。
□21 精密機器をジョウ留水で洗う。
□22 ジョウ流にダムを建設する。
□23 コップのヨウ量をはかる。
□24 次男はとてもヨウ領がいい。
□25 賞味キ限の過ぎた食品だ。
□26 人類のキ源について学ぶ。
□27 ホ道橋を子供がわたっている。
□28 警察官が少年たちをホ導した。

□29 開発計画をスイ進する。
□30 スイ深五メートルまでもぐる。
□31 かい中電トウで夜道を照らす。
□32 先代から伝トウの技を受けつぐ。
□33 役所に死ボウ届を提出する。
□34 晴れて志ボウ校に入学できた。
□35 歴史小説の大サクを完成させた。
□36 公害問題の対サクを立てる。
□37 サッカーのシン善試合を行う。
□38 シン前で挙式する。
□39 規リツ正しい生活を心がけよう。
□40 起リツして長官を出むかえた。

| | | | | | | | | | | | |
|---|---|---|---|---|---|---|---|---|---|---|---|
| 17 官 | 18 刊 | 19 敗 | 20 破 | 21 蒸 | 22 上 | 23 容 | 24 要 | 25 期 | 26 起 | 27 歩 | 28 補 |
| 29 推 | 30 水 | 31 灯 | 32 統 | 33 亡 | 34 望 | 35 作 | 36 策 | 37 親 | 38 神 | 39 律 | 40 立 |

合否の分かれ目！
頻出度
# B
# 同じ読みの漢字③

目標正答率
75%
／40

※次の――線のカタカナを漢字に直せ。

□1 支持する政トウはどちらですか。
□2 事件は正トウ防衛との判断だ。

□3 事件をサイ現して考え直す。
□4 人間の欲にはサイ限がない。

□5 父はタン身ふ任中だ。
□6 時計のタン針を読む。

□7 セイ養をかねて旅行した。
□8 観光地はセイ洋人でいっぱいだ。

□9 各国の元シュが会議に出席した。
□10 約束の期日を厳シュする。

□11 この海水浴場は有リョウです。
□12 優リョウな人材を集める。

□13 作家になることをシ望している。
□14 新生児のシ亡数は減少している。

□15 ダムの建設がチュウ止された。
□16 社会情勢にチュウ視して対応する。

標準解答

| | |
|---|---|
| 1 | 党 |
| 2 | 当 |
| 3 | 再 |
| 4 | 際 |
| 5 | 単 |
| 6 | 短 |
| 7 | 静 |
| 8 | 西 |
| 9 | 首 |
| 10 | 守 |
| 11 | 料 |
| 12 | 良 |
| 13 | 志 |
| 14 | 死 |
| 15 | 中 |
| 16 | 注 |

17 航空会社のキ長になりたい。
18 仕入れをキ帳して集計する。

19 川の上リュウで魚をつった。
20 実験で蒸リュウ水を作った。

21 科学の進歩に功セキをあげる。
22 有数の鉱セキ産出国だ。

23 保ケン師が地域の指導に当たる。
24 生命保ケンを解約する。

25 春の人事異ドウが発表された。
26 指もんの異ドウ識別は難しい。

27 寒さに備えアツいくつ下をはく。
28 アツいお湯でコーヒーをいれた。

29 説明のたりない部分を補ソクする。
30 一回りして池の大きさを歩ソクする。

31 ダムの水リ権を主張する。
32 推リ小説を読みあさる。

33 先生からひとコト注意を受けた。
34 仕事のコトはかれに任せた。

35 一家で田んぼのジョ草をする。
36 ジョ走の速度を上げる。

37 湖での運コウは休日だけです。
38 青森へ高速バスを運コウする。

39 政府のシ案が発表された
40 ここがシ案のしどころです。

17 機 18 記 19 流 20 留 21 績 22 石 23 健 24 険 25 動 26 同 27 厚 28 熱

29 足 30 測 31 利 32 理 33 言 34 事 35 除 36 助 37 航 38 行 39 試 40 思

合否の分かれ目！
頻出度
B

# 対義語・類義語

目標正答率
80%

／40

※□の中の語を必ず一度使って漢字に直し、対義語・類義語を記せ。

## 対義語

□ 1 散在—□集
□ 2 開幕—□幕
□ 3 否決—□決
□ 4 前月—□月
□ 5 将来—□去
□ 6 公用—□用
□ 7 危険—□全
□ 8 困難—安□

あん　い　か　し　ひ　へい　みっ　よく

## 類義語

□ 9 刊行—出□
□ 10 簡単—単□
□ 11 手段—方□
□ 12 帰省—帰□
□ 13 同意—□成
□ 14 注目—注□
□ 15 役目—□務
□ 16 宣伝—広□

きょう　こく　さく　さん　し　じゅん　にん　ぱん

## 標準解答

1 散在《さんざい》↔密集《みっしゅう》
2 開幕《かいまく》↔閉幕《へいまく》
3 可決《かけつ》↔否決《ひけつ》
4 前月《ぜんげつ》↔翌月《よくげつ》
5 将来《しょうらい》↔過去《かこ》
6 公用《こうよう》↔私用《しよう》
7 危険《きけん》↔安全《あんぜん》
8 困難《こんなん》↔安易《あんい》

9 刊行《かんこう》＝出版《しゅっぱん》
10 簡単《かんたん》＝単純《たんじゅん》
11 手段《しゅだん》＝方策《ほうさく》
12 帰省《きせい》＝帰郷《ききょう》
13 同意《どうい》＝賛成《さんせい》
14 注目《ちゅうもく》＝注視《ちゅうし》
15 役目《やくめ》＝任務《にんむ》
16 宣伝《せんでん》＝広告《こうこく》

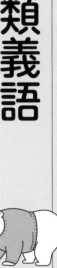

## 対義語

□ 17 反射—吸□
□ 18 無視—□重
□ 19 安全—危□
□ 20 帰順—反□
□ 21 同種—□種
□ 22 開店—□店
□ 23 可決—□決
□ 24 複線—□線
□ 25 減退—□進
□ 26 密集—散□
□ 27 困苦—□楽
□ 28 制服—□服

あん　い　か　ぎゃく　けん　ざい　し　しゅう　ぞう　そん　たん　へい

## 類義語

□ 29 時間—時□
□ 30 観点—□点
□ 31 出生—□生
□ 32 忠言—□言
□ 33 自己—自□
□ 34 立派—見□
□ 35 資材—材□
□ 36 敬服—□心
□ 37 帰郷—帰□
□ 38 運送—運□
□ 39 格別—□別
□ 40 評論—□評

かん　く　こく　ごと　し　せい　たん　とく　ひ　ぶん　ゆ　りょう

---

17 反射《はんしゃ》↕吸収《きゅうしゅう》
18 無視《むし》↕尊重《そんちょう》
19 安全《あんぜん》↕危険《きけん》
20 帰順《きじゅん》↕反逆《はんぎゃく》
21 同種《どうしゅ》↕異種《いしゅ》
22 開店《かいてん》↕閉店《へいてん》
23 否決《ひけつ》↕可決《かけつ》
24 複線《ふくせん》↕単線《たんせん》
25 減退《げんたい》↕増進《ぞうしん》
26 密集《みっしゅう》↕散在《さんざい》
27 困苦《こんく》↕安楽《あんらく》
28 制服《せいふく》↕私服《しふく》

29 時間《じかん》＝時刻《じこく》
30 観点《かんてん》＝視点《してん》
31 出生《しゅっせい》＝誕生《たんじょう》
32 忠言《ちゅうげん》＝苦言《くげん》
33 自己《じこ》＝自分《じぶん》
34 立派《りっぱ》＝見事《みごと》
35 資材《しざい》＝材料《ざいりょう》
36 敬服《けいふく》＝感心《かんしん》
37 帰郷《ききょう》＝帰省《きせい》
38 運送《うんそう》＝運輸《うんゆ》
39 格別《かくべつ》＝特別《とくべつ》
40 評論《ひょうろん》＝批評《ひひょう》

合否の分かれ目!
頻出度
B

# 熟語の構成—①

目標正答率
85%

／36

※熟語の構成には次のようなものがある。

ア　反対や対《つい》になる意味の字を組み合わせたもの（例　強調）
イ　同じような意味の字を組み合わせたもの（例　進行）
ウ　上の字が下の字を説明（修飾《しょく》）しているもの（例　国旗）
エ　下の字から上へ返って読むと意味がよくわかるもの（例　消火）

次の熟語はそのどれに当たるか、記号を記せ。

□ 1 若者
□ 2 裏表
□ 3 暖流
□ 4 視力
□ 5 宝庫
□ 6 諸国
□ 7 母乳
□ 8 温泉
□ 9 鉄棒
□ 10 米俵
□ 11 発着
□ 12 創造

**標準解答**

1 ウ　「若い＋人」と考える
2 ア　「うら」⇔「おもて」の意
3 ウ　「暖かい＋海流」と考える
4 ウ　「みる＋能力」と考える
5 ウ　「宝物を入れる＋倉庫」と考える
6 ウ　「いろいろな＋国」と考える
7 ウ　「母親の＋乳」と考える
8 ウ　「温かい＋泉」と考える
9 ウ　「鉄製の＋棒」と考える
10 ウ　「米を入れる＋俵」と考える
11 ア　「出発」⇔「到着」の意
12 イ　どちらも「つくる」の意

□ 13 付着
□ 14 増減
□ 15 重視
□ 16 洗車
□ 17 純金
□ 18 自他
□ 19 改革
□ 20 拝礼

□ 21 危険
□ 22 車窓
□ 23 幼児
□ 24 国宝
□ 25 難題
□ 26 善意
□ 27 城門
□ 28 楽勝

□ 29 加減
□ 30 納税
□ 31 主従
□ 32 正誤
□ 33 城内
□ 34 着席
□ 35 精密
□ 36 脳波

---

13 イ どちらも「つく」の意
14 ア 「増える」⇔「減る」の意
15 ウ 「重く＋みる」と考える
16 エ 「洗う←車を」と考える
17 ウ 「純すいな＋金」と考える
18 ア 「自分」⇔「他人」の意
19 イ どちらも「あらためる」の意
20 イ どちらも「おじぎ」の意

21 イ どちらも「あぶない」の意
22 ウ 「車の＋窓」と考える
23 ウ 「幼い＋子ども」と考える
24 ウ 「国の＋宝」と考える
25 ウ 「難しい＋問題」と考える
26 ウ 「よい＋こころ」と考える
27 ウ 「城の＋門」と考える
28 ウ 「楽に＋勝つ」と考える

29 ア 「加える」⇔「減らす」の意
30 エ 「おさめる←税を」と考える
31 ア 「主人」⇔「従者」の意
32 ア 「正しい」⇔「誤り」の意
33 ウ 「城の＋内側」と考える
34 エ 「着く←席に」と考える
35 イ どちらも「こまかい」の意
36 ウ 「脳の＋波形の図形」と考える

合否の分かれ目！
頻出度
B

# 熟語の構成——②

目標正答率
85%

／36

※熟語の構成には次のようなものがある。

ア　反対や対《つい》になる意味の字を組み合わせたもの（例　強弱）
イ　同じような意味の字を組み合わせたもの（例　進行）
ウ　上の字が下の字を説明（修飾《しょく》）しているもの（例　国旗）
エ　下の字から上へ返って読むと意味がよくわかるもの（例　消火）

次の熟語はそのどれに当たるか、記号を記せ。

□ 1 善人
□ 2 幼虫
□ 3 軽視
□ 4 古傷
□ 5 激増
□ 6 皮革
□ 7 清潔
□ 8 因果
□ 9 場外
□ 10 誕生
□ 11 納入
□ 12 建築

**標準解答**

1 ウ　「よい＋人」と考える
2 ウ　「生まれて間もない＋虫」と考える
3 ウ　「軽く＋みる」と考える
4 ウ　「古い＋傷」と考える
5 ウ　「激しく＋増える」と考える
6 イ　どちらも「かわ」の意
7 イ　どちらも「きよい」の意
8 ア　「原因」⇔「結果」の意
9 ウ　「その場の＋外側」と考える
10 イ　どちらも「うまれる」の意
11 イ　どちらも「いれる」の意
12 イ　どちらも「つくる」の意

□13 満足
□14 軽減
□15 除名
□16 救急
□17 晩夏
□18 補足
□19 断念
□20 防火

□21 脳死
□22 早晩
□23 減税
□24 開館
□25 私事
□26 地層
□27 調整
□28 仁愛

□29 心身
□30 悪口
□31 授受
□32 祝賀
□33 異同
□34 参拝
□35 初夏
□36 城外

13 イ どちらも「みたす」の意
14 ウ 「軽くなるように＋減らす」と考える
15 エ 「除く↑名前を」と考える
16 エ 「救う↑急なかんじゃを」と考える
17 ウ 「おわりごろの＋夏」と考える
18 イ どちらも「たす」の意
19 エ 「断つ↑思いを」と考える
20 エ 「防ぐ↑火事を」と考える

21 ウ 「脳の働きが＋死ぬ」と考える
22 ア 「はやい」⇔「おそい」の意
23 エ 「減らす↑税を」と考える
24 エ 「開く↑館を」と考える
25 ウ 「私の＋できごと」と考える
26 ウ 「地表の＋断層」と考える
27 イ どちらも「ととのえる」の意
28 イ どちらも「いつくしむ」の意

29 ア 「こころ」⇔「からだ」の意
30 ウ 「悪く言う＋こと」と考える
31 ア 「あたえる」⇔「受ける」の意
32 イ どちらも「いわう」の意
33 ア 「異なる」⇔「同じ」の意
34 イ どちらも「おまいりする」の意
35 ウ 「初めごろの＋夏」と考える
36 ウ 「城の＋外側」と考える

合否の分かれ目！
頻出度
B

# 熟語作り―①

目標正答率
90%
／32

※ □ の中から漢字を選んで、次の意味に当てはまる熟語を作り、答えは記号で記せ。

□ 1 いずれはそのうちに。
□ 2 最後に達したまとめとしての考え。
□ 3 続けざまに同じことをさけぶこと。
□ 4 ひとつのものを順にまわして見ること。
□ 5 なくならずにつづいていること。
□ 6 物をひきつけること。
□ 7 他人のあやまちをいさめること。

| | | | | |
|---|---|---|---|---|
| ア 権 | イ 結 | ウ 券 | エ 吸 | |
| オ 続 | カ 論 | キ 存 | ク 晩 | |
| ケ 引 | コ 回 | サ 告 | シ 絹 | |
| ス 覧 | セ 忠 | ソ 憲 | タ 激 | |
| チ 呼 | ツ 連 | テ 穴 | ト 早 | |

□ 8 生産するためのもとになる物しつ。
□ 9 何人かで少しずつ受け持つこと。
□ 10 他人をおとずれること。
□ 11 亡くなった人が残した財さん。
□ 12 他人とちがった意見。
□ 13 出版物などの最初の部分。
□ 14 役人が仕事をする場所。

| | | | |
|---|---|---|---|
| ア 誤 | イ 議 | ウ 己 | エ 孝 |
| オ 訪 | カ 頭 | キ 問 | ク 官 |
| ケ 后 | コ 巻 | サ 遺 | シ 呼 |
| ス 源 | セ 異 | ソ 担 | タ 資 |
| チ 産 | ツ 分 | テ 厳 | ト 庁 |

**標準解答**

1 ト・ク 早晩《そうばん》
2 イ・カ 結論《けつろん》
3 ツ・チ 連呼《れんこ》
4 コ・ス 回覧《かいらん》
5 キ・オ 存続《そんぞく》
6 エ・ケ 吸引《きゅういん》
7 セ・サ 忠告《ちゅうこく》
8 タ・ス 資源《しげん》
9 ツ・ソ 分担《ぶんたん》
10 オ・キ 訪問《ほうもん》
11 サ・チ 遺産《いさん》
12 セ・イ 異議《いぎ》
13 コ・カ 巻頭《かんとう》
14 ク・ト 官庁《かんちょう》

※ □の中から漢字を選んで、次の意味に当てはまる熟語を作り、答えは記号で記せ。

□ 15 足りなくなった部分をおぎなうこと。
□ 16 逆らわずにまじめにつとめること。
□ 17 機械などが正常に動かなくなること。
□ 18 物事の大きさの程度。
□ 19 とても大切なものとしてあつかうこと。
□ 20 ある原理で順序よくつながるもの。
□ 21 今までなかったものを作り出すこと。
□ 22 ぴったりと、くっつくこと。
□ 23 きちんとまとまらず入り交じること。

| | | | | |
|---|---|---|---|---|
| ア 創 | イ 混 | ウ 欠 | エ 実 | |
| オ 皇 | カ 造 | キ 尊 | ク 着 | |
| ケ 故 | コ 密 | サ 系 | シ 紅 | |
| ス 忠 | セ 乱 | ソ 重 | タ 統 | |
| チ 障 | ツ 補 | テ 規 | ト 模 | |

□ 24 私利私欲なく素《す》直に向き合う心。
□ 25 物を思いどおりに動かすこと。
□ 26 物事を検討して評価すること。
□ 27 目的を達成するためにとる方法。
□ 28 作品などを並べて他人に見せること。
□ 29 気持ちが高ぶること。
□ 30 持っている力を十分にふるうこと。
□ 31 引き受けた事で生じる責任など。
□ 32 物をたくわえて、しまっておくこと。

| | | | | |
|---|---|---|---|---|
| ア 手 | イ 降 | ウ 負 | エ 貯 | |
| オ 縦 | カ 奮 | キ 意 | ク 批 | |
| ケ 判 | コ 揮 | サ 興 | シ 蔵 | |
| ス 誠 | セ 発 | ソ 展 | タ 担 | |
| チ 操 | ツ 鋼 | テ 示 | ト 段 | |

15 ツ・ウ 補欠《ほけつ》
16 ス・エ 忠実《ちゅうじつ》
17 ケ・チ 故障《こしょう》
18 テ・ト 規模《きぼ》
19 キ・ソ 尊重《そんちょう》
20 サ・タ 系統《けいとう》
21 ア・カ 創造《そうぞう》
22 コ・ク 密着《みっちゃく》
23 イ・セ 混乱《こんらん》
24 ス・キ 誠意《せいい》
25 チ・オ 操縦《そうじゅう》
26 ク・ケ 批判《ひはん》
27 ア・ト 手段《しゅだん》
28 ソ・テ 展示《てんじ》
29 サ・カ 興奮《こうふん》
30 セ・コ 発揮《はっき》
31 ウ・タ 負担《ふたん》
32 エ・シ 貯蔵《ちょぞう》

合否の分かれ目！
頻出度
**B**

# 熟語作り―②

※□の中から漢字を選んで、次の意味に当てはまる熟語を作り、答えは記号で記せ。

□ 1 他人の家などをたずねること。
□ 2 相手のためを注意をうながすことば。
□ 3 仕事・荷物などを何人かでわけること。
□ 4 物を作り出すもとになるもの。
□ 5 力をつくして、たたかうこと。
□ 6 ひそひそと勝手に話すこと。
□ 7 人に知られないようかくすこと。

| | | | | |
|---|---|---|---|---|
| ア 忠 | イ 訪 | ウ 砂 | エ 分 | |
| オ 私 | カ 刻 | キ 源 | ク 資 | |
| ケ 問 | コ 語 | サ 密 | シ 言 | |
| ス 秘 | セ 穀 | ソ 困 | タ 戦 | |
| チ 担 | ツ 座 | テ 奮 | ト 骨 | |

□ 8 生まれ育った場所。
□ 9 音楽をかなでること。
□ 10 意味をまちがって受けとめること。
□ 11 おさめるべきものをおさめていないこと。
□ 12 自分だけで考えたものをつくること。
□ 13 取りつけた機械や設備など。
□ 14 たがいに意見をたたかわせること。

| | | | | |
|---|---|---|---|---|
| ア 論 | イ 未 | ウ 郷 | エ 誤 | |
| オ 討 | カ 蚕 | キ 解 | ク 故 | |
| ケ 姿 | コ 冊 | サ 演 | シ 置 | |
| ス 裁 | セ 装 | ソ 独 | タ 創 | |
| チ 納 | ツ 奏 | テ 済 | ト 策 | |

目標正答率
90%

／32

## 標準解答

| 問 | 解答 | 熟語 |
|---|---|---|
| 1 | イ・ケ | 訪問《ほうもん》 |
| 2 | ア・シ | 忠言《ちゅうげん》 |
| 3 | エ・チ | 分担《ぶんたん》 |
| 4 | ク・キ | 資源《しげん》 |
| 5 | テ・タ | 奮戦《ふんせん》 |
| 6 | オ・コ | 私語《しご》 |
| 7 | ス・サ | 秘密《ひみつ》 |
| 8 | ク・ウ | 故郷《こきょう》 |
| 9 | サ・ツ | 演奏《えんそう》 |
| 10 | エ・キ | 誤解《ごかい》 |
| 11 | イ・チ | 未納《みのう》 |
| 12 | ソ・タ | 独創《どくそう》 |
| 13 | セ・シ | 装置《そうち》 |
| 14 | オ・ア | 討論《とうろん》 |

※ □ の中から漢字を選んで、次の意味に当てはまる熟語を作り、答えは記号で記せ。

□ 15 不足をおぎなってたすけること。
□ 16 事実かどうかうたがわしいこと。
□ 17 一日の仕事にとりかかること。
□ 18 これから先のこと。
□ 19 ある一定の目的だけに使うこと。
□ 20 国の最高の決まり。
□ 21 神社や寺をおとずれておがむこと。
□ 22 手がかりをもとにおしはかること。
□ 23 組織や集団の中心人物。

| | | | | |
|---|---|---|---|---|
| ア 推 | イ 法 | ウ 私 | エ 将 | |
| オ 拝 | カ 用 | キ 来 | ク 参 | |
| ケ 脳 | コ 至 | サ 助 | シ 補 | |
| ス 疑 | セ 測 | ソ 問 | タ 憲 | |
| チ 専 | ツ 業 | テ 首 | ト 就 | |

□ 24 胸のすくような気持ちの良さ。
□ 25 国家が定めたきまりや規則。
□ 26 状態をそのままに、とっておくこと。
□ 27 所有している本。
□ 28 不都合なことがあること。
□ 29 登山でおね伝いに歩くこと。
□ 30 おなかいっぱい食べたこと。
□ 31 より高い段階に進むこと。
□ 32 似せてつくること。

| | | | |
|---|---|---|---|
| ア 造 | イ 展 | ウ 痛 | エ 腹 |
| オ 障 | カ 走 | キ 存 | ク 律 |
| ケ 支 | コ 蔵 | サ 詞 | シ 発 |
| ス 模 | セ 保 | ソ 縦 | タ 満 |
| チ 快 | ツ 視 | テ 書 | ト 法 |

15 シ・サ 補助《ほじょ》
16 ス・ソ 疑問《ぎもん》
17 ト・ツ 就業《しゅうぎょう》
18 エ・キ 将来《しょうらい》
19 チ・カ 専用《せんよう》
20 タ・イ 憲法《けんぽう》
21 ク・オ 参拝《さんぱい》
22 ア・セ 推測《すいそく》
23 テ・ケ 首脳《しゅのう》
24 ウ・チ 痛快《つうかい》
25 ト・ク 法律《ほうりつ》
26 セ・キ 保存《ほぞん》
27 コ・テ 蔵書《ぞうしょ》
28 ケ・オ 支障《ししょう》
29 ソ・カ 縦走《じゅうそう》
30 タ・エ 満腹《まんぷく》
31 シ・イ 発展《はってん》
32 ス・ア 模造《もぞう》

合否の分かれ目！
頻出度
# B
## 画数―①

目標正答率
90%

／42

※次の漢字の太い画のところは、筆順の何画目か、また総画数は何画か、算用数字で記せ。

| | 漢字 | （何画目） | 〔総画数〕 |
|---|---|---|---|
| □1 | 専 | （　） | 〔　〕 |
| □2 | 展 | （　） | 〔　〕 |
| □3 | 背 | （　） | 〔　〕 |
| □4 | 秘 | （　） | 〔　〕 |
| □5 | 簡 | （　） | 〔　〕 |
| □6 | 吸 | （　） | 〔　〕 |
| □7 | 株 | （　） | 〔　〕 |
| □8 | 詞 | （　） | 〔　〕 |
| □9 | 困 | （　） | 〔　〕 |
| □10 | 欲 | （　） | 〔　〕 |
| □11 | 劇 | （　） | 〔　〕 |
| □12 | 刻 | （　） | 〔　〕 |
| □13 | 延 | （　） | 〔　〕 |
| □14 | 危 | （　） | 〔　〕 |
| □15 | 否 | （　） | 〔　〕 |
| □16 | 盛 | （　） | 〔　〕 |
| □17 | 糖 | （　） | 〔　〕 |
| □18 | 難 | （　） | 〔　〕 |

### 標準解答

| | 何画目・総画数 |
|---|---|
| 1 | 7・9 |
| 2 | 8・10 |
| 3 | 5・9 |
| 4 | 6・10 |
| 5 | 7・18 |
| 6 | 4・6 |
| 7 | 7・10 |
| 8 | 9・12 |
| 9 | 3・7 |
| 10 | 8・11 |
| 11 | 9・15 |
| 12 | 4・8 |
| 13 | 5・8 |
| 14 | 3・6 |
| 15 | 4・7 |
| 16 | 6・11 |
| 17 | 10・16 |
| 18 | 14・18 |

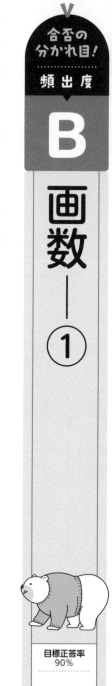

| 19 | 20 | 21 | 22 | 23 | 24 | 25 | 26 | 27 | 28 | 29 | 30 |
|---|---|---|---|---|---|---|---|---|---|---|---|
| 異 | 覧 | 並 | 割 | 済 | 至 | 姿 | 揮 | 激 | 絹 | 巻 | 善 |

（何画目）［総画数］

| 31 | 32 | 33 | 34 | 35 | 36 | 37 | 38 | 39 | 40 | 41 | 42 |
|---|---|---|---|---|---|---|---|---|---|---|---|
| 蔵 | 届 | 胸 | 紅 | 源 | 従 | 装 | 誠 | 探 | 幼 | 域 | 収 |

（何画目）［総画数］

何画目・総画数

| 19 | 20 | 21 | 22 | 23 | 24 | 25 | 26 | 27 | 28 | 29 | 30 |
|---|---|---|---|---|---|---|---|---|---|---|---|
| 3・11 | 2・17 | 4・8 | 4・12 | 9・11 | 4・6 | 8・9 | 11・12 | 12・16 | 3・13 | 4・9 | 9・12 |

何画目・総画数

| 31 | 32 | 33 | 34 | 35 | 36 | 37 | 38 | 39 | 40 | 41 | 42 |
|---|---|---|---|---|---|---|---|---|---|---|---|
| 13・15 | 3・8 | 7・10 | 4・9 | 4・13 | 7・10 | 3・12 | 8・13 | 7・11 | 3・5 | 10・11 | 2・4 |

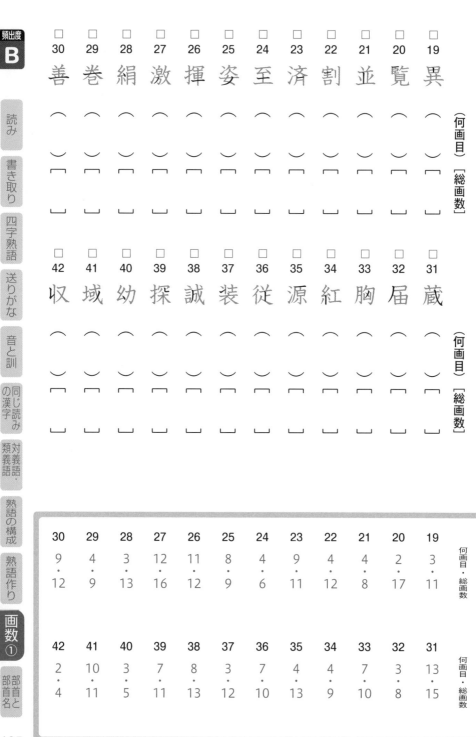

合否の分かれ目!
頻出度
B

# 画数—②

目標正答率
90%

／42

※次の漢字の太い画のところは、筆順の何画目か、また総画数は何画か、算用数字で記せ。

| | 漢字 | （何画目） | 〔総画数〕 |
|---|---|---|---|
| □1 | 誠 | （　） | 〔　〕 |
| □2 | 探 | （　） | 〔　〕 |
| □3 | 延 | （　） | 〔　〕 |
| □4 | 危 | （　） | 〔　〕 |
| □5 | 否 | （　） | 〔　〕 |
| □6 | 盛 | （　） | 〔　〕 |
| □7 | 簡 | （　） | 〔　〕 |
| □8 | 糖 | （　） | 〔　〕 |
| □9 | 難 | （　） | 〔　〕 |
| □10 | 並 | （　） | 〔　〕 |
| □11 | 巻 | （　） | 〔　〕 |
| □12 | 善 | （　） | 〔　〕 |
| □13 | 蔵 | （　） | 〔　〕 |
| □14 | 届 | （　） | 〔　〕 |
| □15 | 域 | （　） | 〔　〕 |
| □16 | 収 | （　） | 〔　〕 |
| □17 | 尺 | （　） | 〔　〕 |
| □18 | 座 | （　） | 〔　〕 |

## 標準解答

| | 何画目・総画数 |
|---|---|
| 1 | 12・13 |
| 2 | 6・11 |
| 3 | 2・8 |
| 4 | 4・6 |
| 5 | 3・7 |
| 6 | 1・11 |
| 7 | 12・18 |
| 8 | 13・16 |
| 9 | 15・18 |
| 10 | 6・8 |
| 11 | 7・9 |
| 12 | 6・12 |
| 13 | 4・15 |
| 14 | 6・8 |
| 15 | 8・11 |
| 16 | 1・4 |
| 17 | 3・4 |
| 18 | 7・10 |

| 番号 | 漢字 | （何画目） | 〔総画数〕 |
| --- | --- | --- | --- |
| □ 19 | 採 | （　） | 〔　〕 |
| □ 20 | 磁 | （　） | 〔　〕 |
| □ 21 | 就 | （　） | 〔　〕 |
| □ 22 | 書 | （　） | 〔　〕 |
| □ 23 | 傷 | （　） | 〔　〕 |
| □ 24 | 認 | （　） | 〔　〕 |
| □ 25 | 除 | （　） | 〔　〕 |
| □ 26 | 暖 | （　） | 〔　〕 |
| □ 27 | 垂 | （　） | 〔　〕 |
| □ 28 | 障 | （　） | 〔　〕 |
| □ 29 | 秘 | （　） | 〔　〕 |
| □ 30 | 層 | （　） | 〔　〕 |

| 番号 | 漢字 | （何画目） | 〔総画数〕 |
| --- | --- | --- | --- |
| □ 31 | 尊 | （　） | 〔　〕 |
| □ 32 | 段 | （　） | 〔　〕 |
| □ 33 | 著 | （　） | 〔　〕 |
| □ 34 | 晩 | （　） | 〔　〕 |
| □ 35 | 裏 | （　） | 〔　〕 |
| □ 36 | 論 | （　） | 〔　〕 |
| □ 37 | 補 | （　） | 〔　〕 |
| □ 38 | 暮 | （　） | 〔　〕 |
| □ 39 | 刻 | （　） | 〔　〕 |
| □ 40 | 専 | （　） | 〔　〕 |
| □ 41 | 展 | （　） | 〔　〕 |
| □ 42 | 背 | （　） | 〔　〕 |

| 番号 | 何画目・総画数 |
| --- | --- |
| 19 | 6・11 |
| 20 | 12・14 |
| 21 | 11・12 |
| 22 | 8・10 |
| 23 | 11・13 |
| 24 | 9・14 |
| 25 | 8・10 |
| 26 | 11・13 |
| 27 | 3・8 |
| 28 | 9・14 |
| 29 | 7・10 |
| 30 | 9・14 |

| 番号 | 何画目・総画数 |
| --- | --- |
| 31 | 11・12 |
| 32 | 5・9 |
| 33 | 6・11 |
| 34 | 9・12 |
| 35 | 7・13 |
| 36 | 13・15 |
| 37 | 11・12 |
| 38 | 9・14 |
| 39 | 5・8 |
| 40 | 6・9 |
| 41 | 3・10 |
| 42 | 4・9 |

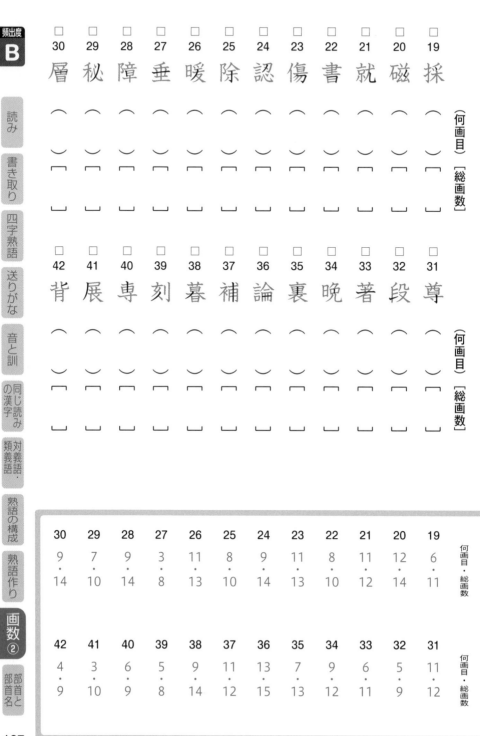

合否の分かれ目！
頻出度
B

# 部首と部首名―①

目標正答率
95%

／20

※次の漢字の部首と部首名をそれぞれ下の［　］の中から選び、記号で記せ。

| | 漢字 | （部首） | ［部首名］ |
|---|---|---|---|
| □1 | 縮 | （　） | ［　］ |
| □2 | 除 | （　） | ［　］ |
| □3 | 割 | （　） | ［　］ |
| □4 | 忘 | （　） | ［　］ |
| □5 | 窓 | （　） | ［　］ |
| □6 | 染 | （　） | ［　］ |
| □7 | 討 | （　） | ［　］ |
| □8 | 脳 | （　） | ［　］ |

あ 心　い 米　う 見　え 疒
お 月　か 門　き 欠　く 穴
け 巾　こ 石　さ 刂　し 木
す 阝　せ 言　そ 糸　た 耳

ア やまいだれ
ウ あなかんむり
オ こざとへん
キ みる
ケ みみ
サ いとへん
ス はば
ソ もんがまえ
イ りっとう
エ き
カ こころ
ク こめへん
コ にくづき
シ いしへん
セ あくび、かける
タ ごんべん

**標準解答**

| | 1 | 2 | 3 | 4 | 5 | 6 | 7 | 8 |
|---|---|---|---|---|---|---|---|---|
| 部首 | そ | す | さ | あ | く | し | せ | お |
| 部首名 | サ | オ | イ | カ | ウ | エ | タ | コ |

頻出度 B

| 番号 | 漢字 | (部首) | [部首名] |
|---|---|---|---|
| 9 | 装 | (　) | [　] |
| 10 | 誌 | (　) | [　] |
| 11 | 宣 | (　) | [　] |
| 12 | 模 | (　) | [　] |
| 13 | 担 | (　) | [　] |
| 14 | 延 | (　) | [　] |
| 15 | 潮 | (　) | [　] |
| 16 | 腹 | (　) | [　] |
| 17 | 展 | (　) | [　] |
| 18 | 糖 | (　) | [　] |
| 19 | 頂 | (　) | [　] |
| 20 | 律 | (　) | [　] |

ち 亠　つ 土　て 口　と 辶
な 木　に 亻　ぬ 日　ね 止
の 勹　は 白　ひ 示　ふ 尸
へ 月　ほ 頁　ま 冖　み 言
む 衣　め 入　も 扌　や 一
ゆ 氵　よ 宀　ら 米　り 廴

チ ひ
テ ころも
ナ くち
ヌ とめる
ノ ひとやね
ヒ てへん
ヘ わかんむり
マ かばね、しかばね
ム なべぶた、けいさんかんむり
モ いち
ユ しんにょう、しんにゅう
ラ つち
ツ えんにょう
ト さんずい
ニ ぎょうにんべん
ネ つつみがまえ
ハ うかんむり
フ しろ
ホ ごんべん
ミ おおがい
メ きへん
ヤ こめへん
ヨ にくづき
リ しめす

| | 9 | 10 | 11 | 12 | 13 | 14 | 15 | 16 | 17 | 18 | 19 | 20 |
|---|---|---|---|---|---|---|---|---|---|---|---|---|
| 部首 | む | み | よ | な | も | り | ゆ | へ | ふ | ら | ほ | に |
| 部首名 | テ | ホ | ハ | メ | ヒ | ツ | ト | ヨ | マ | ヤ | ミ | ニ |

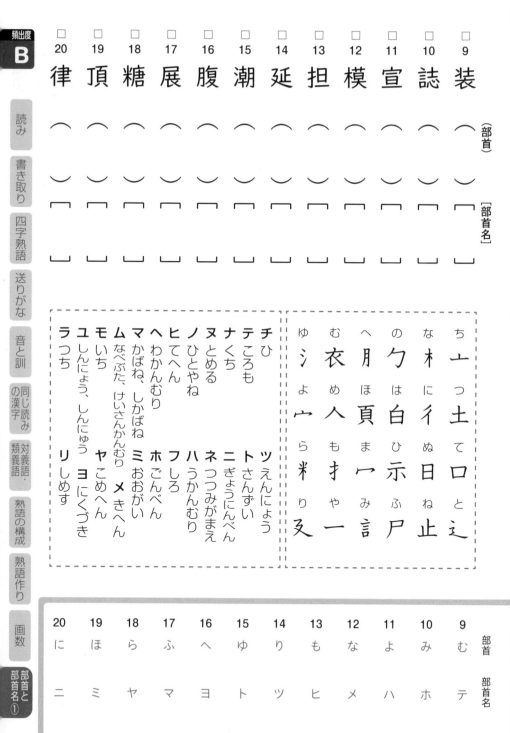

合否の分かれ目！

頻出度

# B

# 部首と部首名―②

目標正答率 95%

／20

※次の漢字の部首と部首名をそれぞれ下の［　］の中から選び、記号で記せ。

| | 漢字 | （部首） | ［部首名］ |
|---|---|---|---|
| 1 | 忠 | （　） | ［　］ |
| 2 | 宙 | （　） | ［　］ |
| 3 | 晩 | （　） | ［　］ |
| 4 | 域 | （　） | ［　］ |
| 5 | 策 | （　） | ［　］ |
| 6 | 補 | （　） | ［　］ |
| 7 | 認 | （　） | ［　］ |
| 8 | 探 | （　） | ［　］ |

あ 土　い 厂　う 扌　え 心
お ⺮　か 士　き 谷　く 衤
け 日　こ 宀　さ 言　し 臣
す 山　せ 幺　そ 月　た 弋

ア たけかんむり　イ てへん
ウ ひへん　エ しきがまえ
オ うかんむり　カ しん
キ つき　ク さむらい
ケ こころ　コ ごんべん
サ がんだれ　シ うけばこ
ス たに　セ つちへん
ソ ころもへん　タ よう、いとがしら

**標準解答**

| | 1 | 2 | 3 | 4 | 5 | 6 | 7 | 8 |
|---|---|---|---|---|---|---|---|---|
| 部首 | え | こ | け | あ | お | く | さ | う |
| 部首名 | ケ | オ | ウ | セ | ア | ソ | コ | イ |

| | 部首 | 部首名 |
|---|---|---|
| □ 9 蚕 | （　） | ［　］ |
| □ 10 誠 | （　） | ［　］ |
| □ 11 著 | （　） | ［　］ |
| □ 12 障 | （　） | ［　］ |
| □ 13 激 | （　） | ［　］ |
| □ 14 宅 | （　） | ［　］ |
| □ 15 暮 | （　） | ［　］ |
| □ 16 覧 | （　） | ［　］ |
| □ 17 異 | （　） | ［　］ |
| □ 18 裏 | （　） | ［　］ |
| □ 19 看 | （　） | ［　］ |
| □ 20 推 | （　） | ［　］ |

ち 田　な ⺮　の 阝　へ 氵　む 力　ゆ 糸
つ 口　に 日　は 虫　ほ 見　め 言　よ 尸
て 扌　ぬ 忄　ひ 礻　ま 大　も 目　ら 禾
と 寸　ね 衣　ふ 艹　み 心　や 宀　り 灬

チ うかんむり　テ ころも　ナ すん　ヌ てへん　ノ くにがまえ　ヒ さんずい　ヘ こころ　マ くさかんむり　ム いと　モ だい　ユ め　ラ こざとへん
ツ れんが、れっか　ト ごんべん　ニ わりふ、ふしづくり　ネ むし　ハ ひへん　フ たけかんむり　ホ ちから　ミ りっしんべん　メ た　ヤ しめすへん　ヨ みる　リ のぎへん

| | 9 | 10 | 11 | 12 | 13 | 14 | 15 | 16 | 17 | 18 | 19 | 20 |
|---|---|---|---|---|---|---|---|---|---|---|---|---|
| 部首 | は | め | ふ | の | へ | や | に | ほ | ち | ね | も | て |
| 部首名 | ネ | ト | マ | ラ | ヒ | チ | ハ | ヨ | メ | テ | ユ | ヌ |

# 第1回 模擬試験

標準解答 168ページ

※実際の試験形式と異なる場合があります。実力チェック用としてお使いください。

160点以上 合格安全圏
140点以上 合格範囲内
139点以下 努力が必要

制限時間：60分

/200

**1** 次の――線の読みをひらがなで記せ。（各1×20＝20点）

1 図書館で必要な資料を**探**す。（　）
2 秋になり日が**暮**れるのが早くなる。（　）
3 ごはんの大**盛**りを注文する。（　）
4 読み返して文字の**誤**りを直す。（　）
5 伝統を重んじ礼節を**尊**ぶ。（　）
6 **我**々の長年の願いがかなった。（　）
7 市の**庁舎**で転居の手続きをする。（　）
8 級友と**机**を並べて勉学にはげむ。（　）
9 気力を**奮**って勝負にいどむ。（　）
10 退院して人前に元気な**姿**を現す。（　）
11 顔を**洗**ってすっきりする。（　）
12 落とし物を警察に**届**ける。（　）
13 山が紅葉で色取り取りに**染**まる。（　）
14 山の**頂**から下界を見下ろす。（　）
15 **障子**を開けて外の光を取り入れる。（　）
16 主な**穀物**を輸入にたよっている。（　）
17 係員の指示に**従**って先に進む。（　）
18 **窓**を開けて空気を入れかえる。（　）
19 リスが木の**穴**を巣にする。（　）
20 負傷した足に包帯を**巻**く。（　）

## 2

**次の漢字の部首と部首名を後の［　］の中から選び、記号で記せ。**（各1×10＝10点）

| | | 部首 | 部首名 |
|---|---|---|---|
| 1 | 座 | （　） | （　） |
| 2 | 創 | （　） | （　） |
| 3 | 盟 | （　） | （　） |
| 4 | 聖 | （　） | （　） |
| 5 | 憲 | （　） | （　） |

**あ** 衣　**い** 耳　**う** 貝　**え** 心　**お** 頁
**か** 皿　**き** 冂　**く** 木　**け** 广　**こ** 刂

**ア** かい、こがい　**イ** りっとう
**ウ** こころ　**エ** おおがい
**オ** どうがまえ、けいがまえ、まきがまえ
**カ** さら　**キ** きへん
**ク** まだれ　**ケ** みみ
**コ** ころも

## 3

**次の漢字の黒い画のところは、筆順の何画目か、また総画数は何画か、算用数字で記せ。**（各1×10＝10点）

| | | 何画目 | 総画数 |
|---|---|---|---|
| 1 | 閣 | （　） | （　） |
| 2 | 陛 | （　） | （　） |
| 3 | 皇 | （　） | （　） |
| 4 | 覧 | （　） | （　） |
| 5 | 孝 | （　） | （　） |

**4** 次の——線のカタカナを漢字一字と送りがな（ひらがな）に直せ。（各2×5＝10点）

1 自治会費をオサメル。（　）
2 首位との差をチヂメル。（　）
3 事実にもとづいてサバク。（　）
4 版木に自分の名前をキザンだ。（　）
5 つり糸をタレル。（　）

**5** 次の熟語の読みは［　］の中のどの組み合わせになっているか、ア～エの記号で答えよ。（各2×10＝20点）

［**ア** 音と音　**イ** 音と訓　**ウ** 訓と訓　**エ** 訓と音］

1 裏作（　）
2 派手（　）
3 番組（　）
4 温泉（　）
5 砂山（　）
6 若気（　）
7 石段（　）
8 重箱（　）
9 係員（　）
10 片道（　）

**6** 次の——線のカタカナを漢字に直し、四字熟語を完成させよ。（各2×10＝20点）

1 実力発キ（　）
2 学級日シ（　）
3 高ソウ建築（　）
4 永久ジ石（　）
5 学習意ヨク（　）
6 天変地イ（　）
7 災害対サク（　）
8 公シュウ道徳（　）
9 ユウ名無実（　）
10 世ロン調査（　）

**7** 後の［　］の中の語を必ず一度使って漢字に直し、対義語・類義語を完成させよ。

（各2×10＝20点）

【対義語】

1 満潮―□潮（　　）
2 河口―水□（　　）
3 整理―散□（　　）
4 容易―困□（　　）
5 公開―秘□（　　）

【類義語】

6 広告―□伝（　　）
7 重荷―負□（　　）
8 後方―□後（　　）
9 任務―役□（　　）
10 死去―死□（　　）

かん・げん・せん・たん・なん・はい・ぼう・みつ・らん・わり

---

**8** 後の［　］の中から漢字を選んで、次の意味に当てはまる熟語を作り、答えは記号で記せ。

（各2×5＝10点）

〈例〉本をよむこと。（読書）（シ・サ）

1 生まれ育った場所。（　・　）
2 人生のおしまいのころ。（　・　）
3 年寄りに対して、うやまうこと。（　・　）
4 平易で的を射ているさま。（　・　）
5 人としての行いの手本となる決まり。（　・　）

ア 潔　イ 律　ウ 規　エ 簡　オ 老　カ 年
キ 晩　ク 敬　ケ 里　コ 郷　サ 書　シ 読

## 9 熟語の構成のしかたには次のようなものがある。

ア 反対や対《つい》になる意味を表す字を組み合わせたもの（例　強弱）
イ 同じような意味の字を組み合わせたもの（例　進行）
ウ 上の字が下の字の意味を修しょくしているもの（例　国旗）
エ 下の字から上の字へ返って読むと意味がよくわかるもの（例　消火）

**次の熟語はそのどれにあたるか、記号で記せ。**（各2×10＝20点）

1 可否（　　）
2 公私（　　）
3 特権（　　）
4 閉幕（　　）
5 歌詞（　　）
6 看病（　　）
7 翌週（　　）
8 存在（　　）
9 延期（　　）
10 樹木（　　）

## 10 次の――線のカタカナを漢字に直せ。（各2×10＝20点）

1 エンジニアとして工場にツトめる。（　　）
2 常に安全運転にツトめる。（　　）
3 今の世相をよくウツした歌だ。（　　）
4 思い立ったらすぐに行動にウツす。（　　）
5 王様におトモして領内を回る。（　　）
6 友人とトモに図書館に行く。（　　）
7 落語を聞いてハラをかかえて笑う。（　　）
8 ハラっぱでボール遊びをする。（　　）
9 朝食をスませて外出する。（　　）
10 高台の一戸建てにスんでいる。（　　）

**11** **次の――線のカタカナを漢字に直せ。**（各2×20＝40点）

1 昔の生活を**チュウジツ**に再現する。（　　）
2 転んで足を**コッセツ**する。（　　）
3 大自然の中で**ハイク**をよむ。（　　）
4 **ショウライ**を見すえて計画する。（　　）
5 神だなに両手を合わせて**オガ**む。（　　）
6 会合におくれた**ワケ**を説明する。（　　）
7 父の**イサン**を兄弟で相続する。（　　）
8 中世のヨーロッパの**ゲキ**を見る。（　　）
9 **センモン**家に調査を任せる。（　　）
10 にわか雨が**フ**ってきた。（　　）

11 道路に**ソ**って川が流れている。（　　）
12 **キビ**しい指導を受ける。（　　）
13 バッグを電車に**ワス**れる。（　　）
14 **オサナ**いころからピアノを習う。（　　）
15 悲しい結末に**ムネ**が痛んだ。（　　）
16 舌足らずの説明に言葉を**オギナ**う。（　　）
17 あやまちを**ミト**めて謝罪した。（　　）
18 夏休み中に**キチョウ**な体験をした。（　　）
19 **ハゲ**しい雨が家にふき付ける。（　　）
20 犬も歩けば**ボウ**に当たる。（　　）

# 第2回 模擬試験

標準解答 169ページ

※実際の試験形式と異なる場合があります。実力チェック用としてお使いください。

160点以上 合格安全圏
140点以上 合格範囲内
139点以下 努力が必要

制限時間：60分

/200

**1** 次の——線の読みをひらがなで記せ。（各1×20＝20点）

1 **規律**正しい生活を送る。（　　）
2 成功に**至**るまでの道のりが長い。（　　）
3 焼き魚にしょうゆを**垂**らす。（　　）
4 アーケードに多くの飲食店が**並**ぶ。（　　）
5 ベランダにふとんを**干**した。（　　）
6 新作の映画は大きな話題を**呼**んだ。（　　）
7 創立者の名前を石ひに**刻**む。（　　）
8 ガラスの表面に細かい**傷**がある。（　　）
9 森の中の小道を**散策**する。（　　）
10 庭のカキの実が**熟**している。（　　）
11 久しぶりに旧友の家を**訪**ねる。（　　）
12 雨が降りそうな**空模様**だ。（　　）
13 得意の**背泳**ぎで一位になる。（　　）
14 かれの実力はみんなが**認**めている。（　　）
15 電車が海岸線に**沿**って進む。（　　）
16 まぶしさに思わず目を**閉**じた。（　　）
17 世界の**秘境**を探検する。（　　）
18 春になり**暖**かい日が増えてきた。（　　）
19 けん命な姿に**胸**を打たれる。（　　）
20 他人の意見を**尊重**する。（　　）

**2** **次の漢字の部首と部首名を後の［　］の中から選び、記号で記せ。**（各1×10＝10点）

| | 部首 | 部首名 |
|---|---|---|
| 1 閣 | （　） | （　） |
| 2 層 | （　） | （　） |
| 3 裁 | （　） | （　） |
| 4 勤 | （　） | （　） |
| 5 簡 | （　） | （　） |

**あ** 艹　**い** 力　**う** 夂　**え** 衣　**お** ⺮
**か** 尸　**き** 日　**く** 水　**け** 門　**こ** 耳

**ア** ちから　**イ** くさかんむり
**ウ** もんがまえ　**エ** ころも
**オ** のぶん、ぼくづくり　**カ** かばね、しかばね
**キ** ひへん　**ク** みず
**ケ** たけかんむり　**コ** みみ

**3** **次の漢字の黒い画のところは、筆順の何画目か、また総画数は何画か、算用数字で記せ。**（各1×10＝10点）

| | 何画目 | 総画数 |
|---|---|---|
| 1 衆 | （　） | （　） |
| 2 蒸 | （　） | （　） |
| 3 純 | （　） | （　） |
| 4 聖 | （　） | （　） |
| 5 憲 | （　） | （　） |

**4** 次の——線のカタカナを漢字一字と送りがな（ひらがな）に直せ。（各2×5＝10点）

1 ご来光をオガム。（　　）
2 オサナイ子どもを預ける。（　　）
3 キビシクしつける。（　　）
4 アブナイ場所をさけて遊ぶ。（　　）
5 事故現場に花をソナエル。（　　）

**5** 次の熟語の読みは［　］の中のどの組み合わせになっているか、ア〜エの記号で答えよ。（各2×10＝20点）

［**ア** 音と音　**イ** 音と訓　**ウ** 訓と訓　**エ** 訓と音］

1 灰皿（　　）
2 遺産（　　）
3 起源（　　）
4 湯気（　　）
5 試合（　　）
6 官庁（　　）
7 裏地（　　）
8 仕事（　　）
9 宗教（　　）
10 絹地（　　）

**6** 次の——線のカタカナを漢字に直し、四字熟語を完成させよ。（各2×10＝20点）

1 首ノウ会談（　　）
2 平和センゲン（　　）
3 技術カク新（　　）
4 スイ理小説（　　）
5 完全無ケツ（　　）
6 半信半ギ（　　）
7 ゾウ器移植（　　）
8 絶体絶メイ（　　）
9 言語道ダン（　　）
10 負タン軽減（　　）

## 7 後の[ ]の中の語を必ず一度使って漢字に直し、対義語・類義語を完成させよ。
（各2×10＝20点）

【対義語】

1 通常―□時（　　）
2 快楽―苦□（　　）
3 外出―帰□（　　）
4 往復―□道（　　）
5 拡大―□小（　　）

【類義語】

6 筆者―□者（　　）
7 役者―□優（　　）
8 地区―地□（　　）
9 方法―手□（　　）
10 帰省―帰□（　　）

いき・かた・きょう・しゅく・たく・だん・ちょ・つう・はい・りん

---

## 8 後の[ ]の中から漢字を選んで、次の意味に当てはまる熟語を作り、答えは記号で記せ。
（各2×5＝10点）

〈例〉本をよむこと。（読書）（シ・サ）

1 そうでないとして認めないこと。（　・　）
2 団体にくわわること。（　・　）
3 事実とちがう知らせ。（　・　）
4 職務につくこと。（　・　）
5 ひとつのことに集中して取り組むこと。（　・　）

ア 報　イ 定　ウ 誤　エ 任　オ 加　カ 念
キ 就　ク 盟　ケ 否　コ 専　サ 書　シ 読

## 9 熟語の構成のしかたには次のようなものがある。

ア 反対や対《つい》になる意味を表す字を組み合わせたもの（例 強弱）
イ 同じような意味の字を組み合わせたもの（例 進行）
ウ 上の字が下の字の意味を修しょくしているもの（例 国旗）
エ 下の字から上の字へ返って読むと意味がよくわかるもの（例 消火）

**次の熟語はそのどれにあたるか、記号で記せ。**（各2×10＝20点）

1 築城（　）
2 難易（　）
3 短針（　）
4 死亡（　）
5 敬老（　）
6 密林（　）
7 養蚕（　）
8 植樹（　）
9 洗面（　）
10 善悪（　）

## 10 次の——線のカタカナを漢字に直せ。（各2×10＝20点）

1 **シオ**風にふかれて海辺を歩く。（　）
2 魚を**シオ**づけにする。（　）
3 都市部の土地の**ネ**が上がる。（　）
4 **ネ**も葉もないうわさが立つ。（　）
5 ふん争が**オサ**まり平和がおとずれた。（　）
6 期日までに税金を**オサ**める。（　）
7 **ジ**石を使って砂鉄を集める。（　）
8 市長が成人に向けて祝**ジ**を述べた。（　）
9 遠くの的を目がけて矢を**イ**る。（　）
10 不安で**イ**ても立ってもいられない。（　）

**11** 次の——線のカタカナを漢字に直せ。（各2×20＝40点）

1 ユウビン局から小包を送る。（　　）

2 国の将来についてトウロンする。（　　）

3 コトなる文化をたがいにみとめる。（　　）

4 旅先で道に迷ってコマり果てる。（　　）

5 急な夕立にあわててマドをしめた。（　　）

6 安全な場所で石油をチョゾウする。（　　）

7 山のイタダキに初雪が積もる。（　　）

8 日がクれて気温が下がってきた。（　　）

9 ミツバチが花のみつをスう。（　　）

10 無数の山桜がさきミダれる。（　　）

11 年始年末をノゾいて営業する。（　　）

12 ワレを忘れて読書にふける。（　　）

13 世界各国でエンソウ会を開く。（　　）

14 新しいザッシが発売された。（　　）

15 牧場でチチしぼりを体験した。（　　）

16 熱戦に観客がコウフンする。（　　）

17 注文した商品が翌日にトドいた。（　　）

18 大事故だったが幸い軽傷でスんだ。（　　）

19 手順にシタガって事務を処理する。（　　）

20 ハラも身の内。（　　）

# 第3回 模擬試験

標準解答 170ページ

※実際の試験形式と異なる場合があります。実力チェック用としてお使いください。

160点以上 合格安全圏
140点以上 合格範囲内
139点以下 努力が必要

制限時間：60分

／200

**1** **次の——線の読みをひらがなで記せ。**（各1×20＝20点）

1 昔はやった歌の**歌詞**を口ずさむ。（　　）
2 **延**べ百万人が見本市に来場した。（　　）
3 母校が**創立**して百年をむかえる。（　　）
4 **厳**しい暑さが体にこたえる。（　　）
5 足元に注意してバスから**降**りた。（　　）
6 **潮風**を受けながらヨットが進む。（　　）
7 **街路樹**の葉が赤く色づいてきた。（　　）
8 **裏庭**で葉物野菜を育てる。（　　）
9 **幕**が上がると出演者が現れた。（　　）
10 長年**勤**めた会社を退職する。（　　）

11 **城**の周りをランニングする。（　　）
12 **著名**な画家がえがいた絵だ。（　　）
13 世界各地の**宗教**を研究する。（　　）
14 宿題を**済**ませて遊びに出かける。（　　）
15 **臨時**列車で団体旅行をする。（　　）
16 法律を**系統**立てて説明する。（　　）
17 反対多数で議案が**否決**された。（　　）
18 水産**資源**にめぐまれている。（　　）
19 選挙後に新しい**内閣**が組織された。（　　）
20 悪口を言われて**腹**が立つ。（　　）

## 2 次の漢字の部首と部首名を後の□の中から選び、記号で記せ。（各1×10＝10点）

部首　部首名

1 届（　）（　）
2 署（　）（　）
3 冊（　）（　）
4 陛（　）（　）
5 割（　）（　）

あ 門　い 隹　う 扌　え 竹　お 心
か 刂　き 广　く 尸　け 罒　こ 阝

ア どうがまえ、けいがまえ、まきがまえ
イ ふるとり
ウ てへん
エ たけかんむり
オ こころ
カ かばね、しかばね
キ あみがしら、あみめ、よこめ
ク りっとう
ケ まだれ
コ こざとへん

## 3 次の漢字の黒い画のところは、筆順の何画目か、また総画数は何画か、算用数字で記せ。（各1×10＝10点）

何画目　総画数

1 我（　）（　）
2 若（　）（　）
3 看（　）（　）
4 派（　）（　）
5 宙（　）（　）

**4** 次の――線のカタカナを漢字一字と送りがな（ひらがな）に直せ。（各2×5＝10点）

1 強い光に思わず目をトジル。（　　）
2 言い分が大きくコトナル。（　　）
3 株価の変動がハゲシイ。（　　）
4 運動会の後は全身がイタイ。（　　）
5 荷物を受付にアズケル。（　　）

**5** 次の熟語の読みは［　］の中のどの組み合わせになっているか、ア～エの記号で答えよ。（各2×10＝20点）

［ア 音と音　イ 音と訓　ウ 訓と訓　エ 訓と音］

1 新顔（　　）
2 星座（　　）
3 胸囲（　　）
4 筋金（　　）
5 組曲（　　）
6 針金（　　）
7 窓口（　　）
8 背骨（　　）
9 札束（　　）
10 沿岸（　　）

**6** 次の――線のカタカナを漢字に直し、四字熟語を完成させよ。（各2×10＝20点）

1 一挙両トク（　　）
2 自キュウ自足（　　）
3 暴風ケイ報（　　）
4 国民主ケン（　　）
5 公シュウ衛生（　　）
6 南極タン検（　　）
7 応急ショ置（　　）
8 タク地造成（　　）
9 大器バン成（　　）
10 明ロウ快活（　　）

**7** **後の［　］の中の語を必ず一度使って漢字に直し、対義語・類義語を完成させよ。**

（各2×10＝20点）

【対義語】

1 誕生―死□（　　）
2 延長―短□（　　）
3 退職―□職（　　）
4 複雑―単□（　　）
5 過去―□来（　　）

【類義語】

6 真心―□意（　　）
7 討議―議□（　　）
8 助言―忠□（　　）
9 価格―□段（　　）
10 保管―保□（　　）

こく・しゅう・しゅく・じゅん・しょう・せい・ぞん・ね・ぼう・ろん

---

**8** **後の［　］の中から漢字を選んで、次の意味に当てはまる熟語を作り、答えは記号で記せ。**

（各2×5＝10点）

〈例〉本をよむこと。（読書）（シ・サ）

1 状況からおしはかって決めること。（　・　）
2 大切におさめて、しまっておくこと。（　・　）
3 果物などがじゅくしていないこと。（　・　）
4 制度や物事を作りかえること。（　・　）
5 液体の表面から気化すること。（　・　）

**ア** 革　**イ** 蒸　**ウ** 未　**エ** 熟　**オ** 蔵　**カ** 発
**キ** 定　**ク** 推　**ケ** 秘　**コ** 改　**サ** 書　**シ** 読

## 9 熟語の構成のしかたには次のようなものがある。

ア 反対や対《つい》になる意味を表す字を組み合わせたもの（例 強弱）
イ 同じような意味の字を組み合わせたもの（例 進行）
ウ 上の字が下の字の意味を修しょくしているもの（例 国旗）
エ 下の字から上の字へ返って読むと意味がよくわかるもの（例 消火）

**次の熟語はそのどれにあたるか、記号で記せ。**（各2×10＝20点）

1 乳歯（　）
2 豊富（　）
3 紅白（　）
4 登頂（　）
5 翌日（　）
6 尊敬（　）
7 遺品（　）
8 破損（　）
9 困苦（　）
10 問答（　）

## 10 次の――線のカタカナを漢字に直せ。（各2×10＝20点）

1 本から知識を**キュウ**収する。（　）
2 登山者を**キュウ**助する。（　）
3 古典の名作を現代語に**ヤク**す。（　）
4 算数で分数を**ヤク**分する。（　）
5 **ユウ**便局で現金書留を送る。（　）
6 アニメの声**ユウ**として活やくする。（　）
7 砂はまにごみが散**ラン**している。（　）
8 観**ラン**車に乗って夜景を楽しむ。（　）
9 産科を**セン**門にしている医師だ。（　）
10 新しい製品をテレビで**セン**伝する。（　）

## 11 次の――線のカタカナを漢字に直せ。（各2×20＝40点）

1 洗ったばかりのズボンを**ホ**す。（　　）
2 紙に美しい**モヨウ**をえがく。（　　）
3 駅のホームを**カクチョウ**する。（　　）
4 公園に**テツボウ**を設置する。（　　）
5 日ごろの練習の成果を**ハッキ**する。（　　）
6 日焼け**タイサク**にクリームをぬる。（　　）
7 新刊を店の本だなに**ナラ**べる。（　　）
8 館内に貴重な絵画を**テンジ**する。（　　）
9 ニワトリが**タマゴ**を産む。（　　）
10 **シセイ**を正して先生の話を聞く。（　　）

---

11 電話で用件を**カンケツ**に伝える。（　　）
12 **アブ**ない場所に近づかない。（　　）
13 ピアノの**ドクソウ**を聞く。（　　）
14 矢は見事に的の中心を**イ**た。（　　）
15 布地をあざやかな赤色に**ソ**める。（　　）
16 ネギを**キザ**んでスープに入れる。（　　）
17 **ムズカ**しい漢字を書いて覚える。（　　）
18 夢の実現を信じて**ウタガ**わない。（　　）
19 満月が湖面に**ウツ**っている。（　　）
20 **ゼン**は急げ。（　　）

# 第4回 模擬試験

標準解答 171ページ

※実際の試験形式と異なる場合があります。実力チェック用としてお使いください。

160点以上 合格安全圏
140点以上 合格範囲内
139点以下 努力が必要

制限時間：60分

／200

**1** **次の――線の読みをひらがなで記せ。** （各1×20＝20点）

1 枝に**樹氷**がかがやいている。（　　）
2 急な落石で身が**縮**む思いをした。（　　）
3 巣の中で親鳥が**卵**を温める。（　　）
4 **車窓**から美しい景色をながめる。（　　）
5 売り上げが右かた上がりに**推移**する。（　　）
6 桜をめでながら**俳句**をよむ。（　　）
7 音楽発表会でピアノを**演奏**する。（　　）
8 おたがいに腹を**割**って話し合う。（　　）
9 過去の体験を**簡潔**にまとめる。（　　）
10 教育制度を**改革**する。（　　）
11 森の中で新せんな空気を**吸**う。（　　）
12 ヨーロッパ**諸国**を歴訪する。（　　）
13 **幼**い兄弟が公園で遊んでいる。（　　）
14 余分な水分を**蒸発**させる。（　　）
15 進学のために**郷里**をはなれた。（　　）
16 試着室で全身を鏡に**映**す。（　　）
17 その**裁判**は世間の注目を集めた。（　　）
18 息子の姿をカメラに**収**める。（　　）
19 **川沿**いの土手で草花をつんだ。（　　）
20 **綿密**な調査の後で結論を出す。（　　）

**2** **次の漢字の部首と部首名を後の□の中から選び、記号で記せ。**（各1×10＝10点）

部首　部首名

1 痛〔　〕（　）
2 劇〔　〕（　）
3 敬〔　〕（　）
4 我〔　〕（　）
5 蔵〔　〕（　）

**あ** 戈　**い** 疒　**う** 刂　**え** 阝　**お** 攵
**か** 皿　**き** 木　**く** 口　**け** 言　**こ** 艹

**ア** のぶん、ぼくづくり　**イ** くさかんむり
**ウ** おおざと　**エ** りっとう
**オ** やまいだれ
**カ** あみがしら、あみめ、よこめ
**キ** ほこづくり、ほこがまえ　**ク** き
**ケ** くにがまえ　**コ** ごんべん

---

**3** **次の漢字の黒い画のところは、筆順の何画目か、また総画数は何画か、算用数字で記せ。**（各1×10＝10点）

何画目　総画数

1 系（　）〔　〕
2 誕（　）〔　〕
3 脳（　）〔　〕
4 灰（　）〔　〕
5 党（　）〔　〕

**4** **次の――線のカタカナを漢字一字と送りがな（ひらがな）に直せ。**（各2×5＝10点）

1 ごみを細かく分別してステル。（　　）
2 役所で転居の手続きをスマス。（　　）
3 いさぎよく自分の過失をミトメル。（　　）
4 勉強のおくれを自習でオギナウ。（　　）
5 強風で鉄道のダイヤがミダレル。（　　）

**5** **次の熟語の読みは［　］の中のどの組み合わせになっているか、ア〜エの記号で答えよ。**（各2×10＝20点）

［**ア** 音と音　**イ** 音と訓　**ウ** 訓と訓　**エ** 訓と音］

1 土手（　　）
2 絹製（　　）
3 口紅（　　）
4 誤答（　　）
5 関所（　　）
6 節穴（　　）
7 残高（　　）
8 潮風（　　）
9 探検（　　）
10 道順（　　）

**6** **次の――線のカタカナを漢字に直し、四字熟語を完成させよ。**（各2×10＝20点）

1 直シャ日光（　　）
2 人間国ホウ（　　）
3 ユウ便配達（　　）
4 自己負タン（　　）
5 器械体ソウ（　　）
6 リン機応変（　　）
7 世界イ産（　　）
8 月刊雑シ（　　）
9 シン小棒大（　　）
10 タン刀直入（　　）

7 後の［ ］の中の語を必ず一度使って漢字に直し、対義語・類義語を完成させよ。
（各2×10＝20点）

【対義語】
1 実物—□型（　　）
2 読者—□者（　　）
3 目的—手□（　　）
4 水平—□直（　　）
5 冷静—興□（　　）

【類義語】
6 未来—□来（　　）
7 加入—加□（　　）
8 進歩—発□（　　）
9 分野—領□（　　）
10 家屋—住□（　　）

いき・しょう・すい・たく・だん・ちょ・てん・ふん・めい・も

8 後の［ ］の中から漢字を選んで、次の意味に当てはまる熟語を作り、答えは記号で記せ。
（各2×5＝10点）

〈例〉本をよむこと。（読書）（シ・サ）
1 目に見えるはん囲。（　・　）
2 注意をきつくうながすこと。（　・　）
3 人間の考えをこえた不思議。（　・　）
4 ほしいと願う気持ち。（　・　）
5 おなじ学校に在せき・卒業したこと。（　・　）

ア 神　イ 界　ウ 視　エ 欲　オ 秘　カ 望
キ 警　ク 告　ケ 窓　コ 同　サ 書　シ 読

## 9 熟語の構成のしかたには次のようなものがある。

ア 反対や対《つい》になる意味を表す字を組み合わせたもの（例　強弱）
イ 同じような意味の字を組み合わせたもの（例　進行）
ウ 上の字が下の字の意味を修しょくしているもの（例　国旗）
エ 下の字から上の字へ返って読むと意味がよくわかるもの（例　消火）

**次の熟語はそのどれにあたるか、記号で記せ。**（各2×10＝20点）

1 負傷（　　）
2 家賃（　　）
3 損益（　　）
4 干満（　　）
5 異国（　　）
6 去来（　　）
7 当落（　　）
8 価値（　　）
9 永久（　　）
10 厳禁（　　）

## 10 次の――線のカタカナを漢字に直せ。（各2×10＝20点）

1 **コウ**水量が例年を上回った。（　　）
2 旅行に連れ出して親**コウ**行する。（　　）
3 列車の出発時**コク**を確かめる。（　　）
4 生産地から**コク**物を船で運ぶ。（　　）
5 **シュウ**議院議員選挙が行われる。（　　）
6 子会社の社長に**シュウ**任した。（　　）
7 商品をていねいに包**ソウ**する。（　　）
8 **ソウ**立記念式典を挙行する。（　　）
9 都心には高**ソウ**ビルが立ち並ぶ。（　　）
10 時間をかけて構**ソウ**をねる。（　　）

**11** **次の――線のカタカナを漢字に直せ。**（各2×20＝40点）

1 小説の一節を**ロウドク**する。（　　）
2 どろ遊びでよごれた手を**アラ**う。（　　）
3 新作の映画を**ヒヒョウ**する。（　　）
4 オーケストラの**シキ**者になる。（　　）
5 大木の切り**カブ**にこしを下ろす。（　　）
6 限りある**シゲン**を大切に使う。（　　）
7 **カイコ**はクワの葉を食べる。（　　）
8 長年使った機械が**コショウ**する。（　　）
9 赤い**カンバン**が通行人の目を引く。（　　）
10 名所を**ハイケイ**に記念写真をとる。（　　）

---

11 政権の**ザ**をおびやかされる。（　　）
12 地元の食品工場に**ツト**める。（　　）
13 日本人初の**ウチュウ**飛行士になる。（　　）
14 **スジ**の通った話に納得する。（　　）
15 橋の工事には**キケン**がともなう。（　　）
16 運動会が**ヨクジツ**に延期された。（　　）
17 墓前に線香と花を**ソナ**える。（　　）
18 図書館で小説を二**サツ**借りた。（　　）
19 大会で**ユウショウ**を成しとげた。（　　）
20 類は友を**ヨ**ぶ。（　　）

# 第5回 模擬試験

標準解答172ページ

※実際の試験形式と異なる場合があります。実力チェック用としてお使いください。

160点以上 合格安全圏
140点以上 合格範囲内
139点以下 努力が必要

制限時間：60分

/200

**1** 次の——線の読みをひらがなで記せ。（各1×20＝20点）

1 仏前に好物だった果物を**供**える。（　　）
2 古代文明の**源**を研究する。（　　）
3 人手不足をアルバイトで**補**う。（　　）
4 **蚕**のまゆから絹糸をつむぐ。（　　）
5 **天守閣**へ通じる坂道を上る。（　　）
6 **興奮**した様子で話した。（　　）
7 アンケートに**署名**する。（　　）
8 記者会見で的を**射**た質問をする。（　　）
9 **潮**の流れに逆らって船が進む。（　　）
10 赤い**絹**のスカーフを首にまく。（　　）
11 友人の**忠告**で目が覚める。（　　）
12 小国は中立を**宣言**した。（　　）
13 生物学を**専門**に研究する。（　　）
14 名人の**尺八**の音にききほれる。（　　）
15 強固な**鋼鉄**で作られた貨物船だ。（　　）
16 登山者が山の**中腹**で一服する。（　　）
17 **晩秋**を思わせるはだ寒い日だ。（　　）
18 わき出る**泉**の水をすくって飲んだ。（　　）
19 各国の**首脳**が集まって協議した。（　　）
20 新曲には手厳しい**批評**が多かった。（　　）

## 2 次の漢字の部首と部首名を後の［　］の中から選び、記号で記せ。（各1×10＝10点）

部首　部首名

1 党（　）（　）

2 幕（　）（　）

3 肺（　）（　）

4 枚（　）（　）

5 郵（　）（　）

あ 灬　い 戈　う 木　え 巾　お 月
か 宀　き 儿　く 穴　け 阝　こ 夂

ア おおざと
イ れんが、れっか
ウ ひとあし、にんにょう
エ ほこづくり、ほこがまえ
オ はば
カ きへん
キ うかんむり
ク にくづき
ケ あなかんむり
コ えんにょう

---

## 3 次の漢字の黒い画のところは、筆順の何画目か、また総画数は何画か、算用数字で記せ。（各1×10＝10点）

何画目　総画数

1 冊（　）（　）

2 訳（　）（　）

3 俳（　）（　）

4 革（　）（　）

5 遺（　）（　）

## 4 次の――線のカタカナを漢字一字と送りがな（ひらがな）に直せ。

（各2×5＝10点）

1 夕暮れで西の空が赤く**ソマル**。（　　）
2 テーブルにトランプを**ナラベル**。（　　）
3 無理難題をおしつけられ**コマッ**た。（　　）
4 うっかり用事を**ワスレル**。（　　）
5 旅行先に母からの手紙が**トドイ**た。（　　）

## 5 次の熟語の読みは［　］の中のどの組み合わせになっているか、ア～エの記号で答えよ。

（各2×10＝20点）

**ア** 音と音　**イ** 音と訓　**ウ** 訓と訓　**エ** 訓と音

1 背後（　　）
2 針箱（　　）
3 格安（　　）
4 納入（　　）
5 回覧（　　）
6 布地（　　）
7 味方（　　）
8 役割（　　）
9 手帳（　　）
10 牛乳（　　）

## 6 次の――線のカタカナを漢字に直し、四字熟語を完成させよ。

（各2×10＝20点）

1 **カブ**式会社（　　）
2 体**ソウ**競技（　　）
3 心**キ**一転（　　）
4 **カク**張工事（　　）
5 単**ジュン**明快（　　）
6 一心不**ラン**（　　）
7 **イ**口同音（　　）
8 家庭**ホウ**問（　　）
9 雨天順**エン**（　　）
10 油**ダン**大敵（　　）

## 7 後の［　］の中の語を必ず一度使って漢字に直し、対義語・類義語を完成させよ。

（各2×10＝20点）

【対義語】

1 応答―質□（　）
2 両方―□方（　）
3 悲報―□報（　）
4 尊重―無□（　）
5 表側―□側（　）

【類義語】

6 直前―□前（　）
7 自分―自□（　）
8 容易―□単（　）
9 明日―□日（　）
10 始末―□理（　）

うら・かた・かん・ぎ・こ・し・しょ・すん・よく・ろう

## 8 後の［　］の中から漢字を選んで、次の意味に当てはまる熟語を作り、答えは記号で記せ。

（各2×5＝10点）

〈例〉本をよむこと。（読書）（シ・サ）

1 けが人や病人などの面どうを見ること。（　・　）
2 物に動じず、こわがらない心。（　・　）
3 世の中に知れわたっていること。（　・　）
4 考え出してつくりあげること。（　・　）
5 いつわりなく真心があること。（　・　）

ア 著　イ 護　ウ 度　エ 名　オ 創　カ 看
キ 誠　ク 胸　ケ 実　コ 作　サ 書　シ 読

## 9 熟語の構成のしかたには次のようなものがある。

ア 反対や対《つい》になる意味を表す字を組み合わせたもの（例　強弱）
イ 同じような意味の字を組み合わせたもの（例　進行）
ウ 上の字が下の字の意味を修しょくしているもの（例　国旗）
エ 下の字から上の字へ返って読むと意味がよくわかるもの（例　消火）

**次の熟語はそのどれにあたるか、記号で記せ。**（各2×10＝20点）

1 得失（　）
2 降車（　）
3 縦横（　）
4 取捨（　）
5 郷里（　）
6 灰色（　）
7 善良（　）
8 収支（　）
9 映写（　）
10 帰宅（　）

## 10 次の——線のカタカナを漢字に直せ。（各2×10＝20点）

1 地球の温ダン化が深刻だ。（　）
2 階ダンを下りて入り口に向かう。（　）
3 タン査機が月面に着陸した。（　）
4 経済的な負タンが重くのしかかる。（　）
5 気象チョウが大雨警報を出す。（　）
6 山チョウから市街地が一望できる。（　）
7 車が故ショウして助けを呼ぶ。（　）
8 戦国の武ショウの一生をえがく。（　）
9 倉庫に新米を貯ゾウする。（　）
10 心ゾウの手術が成功する。（　）

## 11 次の——線のカタカナを漢字に直せ。（各2×20＝40点）

1 読み終わった本をトじる。（　）

2 負傷した指に包帯をマく。（　）

3 積極的な経済政策をスイシンする。（　）

4 長い議論の末に合意にイタった。（　）

5 駅前にコウソウビルがそびえる。（　）

6 ザッシで業界の情報を仕入れる。（　）

7 電車のウンチンが改定された。（　）

8 先祖をウヤマい毎年墓参りをする。（　）

9 飛行機の精密なモケイを製作する。（　）

10 安全ソウチを機械に取り付ける。（　）

11 お年寄りにザセキをゆずった。（　）

12 マドベから日光が差しこむ。（　）

13 両者の言い分をよく聞いてサバく。（　）

14 ハンに分かれて自然を観察する。（　）

15 コーヒーにサトウを加える。（　）

16 かれはケンリばかりを主張する。（　）

17 木々にワカバがおいしげる。（　）

18 長い文章をチヂめる。（　）

19 歴史的カチのある建物を保存する。（　）

20 正直は一生のタカラ。（　）

# 第6回 模擬試験

標準解答 173ページ

※実際の試験形式と異なる場合があります。実力チェック用としてお使いください。

160点以上 合格安全圏

140点以上 合格範囲内

139点以下 努力が必要

制限時間：60分

/200

## 1 次の——線の読みをひらがなで記せ。 （各1×20＝20点）

1 めずらしい宝物を**拝観**する。（　　）

2 多くの**観衆**が会場をうめた。（　　）

3 勢いに乗って事業を**拡張**する。（　　）

4 むし歯が**痛**んでねむれない。（　　）

5 **武将**がいくさで名を上げる。（　　）

6 となりの家に**回覧**板をとどける。（　　）

7 **純白**のドレスを身にまとう。（　　）

8 **大規模**な開発工事が進んでいる。（　　）

9 **激**しい運動の後で体を休める。（　　）

10 古代の史料が**展示**されている。（　　）

11 **憲法**で国民の義務が定められた。（　　）

12 フランスの小説を日本語に**訳**す。（　　）

13 学校に教科書を置き**忘**れる。（　　）

14 古今東西の名画を**所蔵**している。（　　）

15 古都の**仏閣**をめぐり歩く。（　　）

16 旅先で**貴重**な体験をする。（　　）

17 守備の**乱**れで相手に得点を許した。（　　）

18 アニメの**声優**を志望する。（　　）

19 落ち葉を燃やした**灰**を畑にまく。（　　）

20 業績が好調な会社の**株**を買う。（　　）

## 2 次の漢字の部首と部首名を後の[ ]の中から選び、記号で記せ。（各1×10＝10点）

| | 部首 | 部首名 |
|---|---|---|
| 1 誕 | 〔　〕 | （　） |
| 2 熟 | 〔　〕 | （　） |
| 3 窓 | 〔　〕 | （　） |
| 4 郷 | 〔　〕 | （　） |
| 5 庁 | 〔　〕 | （　） |

あ 穴　い 氵　う 阝　え 虫　お 灬
か 田　き 亻　く 月　け 广　こ 言

ア さんずい　イ むし
ウ おおざと　エ た
オ まだれ　カ にんべん
キ にくづき　ク ごんべん
ケ あなかんむり　コ れんが、れっか

## 3 次の漢字の黒い画のところは、筆順の何画目か、また総画数は何画か、算用数字で記せ。（各1×10＝10点）

| | 何画目 | 総画数 |
|---|---|---|
| 1 処 | （　） | 〔　〕 |
| 2 郵 | （　） | 〔　〕 |
| 3 染 | （　） | 〔　〕 |
| 4 裁 | （　） | 〔　〕 |
| 5 善 | （　） | 〔　〕 |

**4** 次の――線のカタカナを漢字一字と送りがな（ひらがな）に直せ。（各2×5＝10点）

1 日が**クレル**前に目的地に着いた。（　　）
2 両親の意見に**シタガウ**。（　　）
3 **ムズカシイ**問題から取り組む。（　　）
4 うまい話に**ウタガイ**をいだく。（　　）
5 父は市役所に**ツトメ**ている。（　　）

**5** 次の熟語の読みは□の中のどの組み合わせになっているか、ア〜エの記号で答えよ。（各2×10＝20点）

**ア** 音と音　**イ** 音と訓　**ウ** 訓と訓　**エ** 訓と音

1 磁石（　　）
2 手配（　　）
3 新型（　　）
4 背中（　　）
5 係長（　　）
6 筋道（　　）
7 台所（　　）
8 茶柱（　　）
9 生傷（　　）
10 布製（　　）

**6** 次の――線のカタカナを漢字に直し、四字熟語を完成させよ。（各2×10＝20点）

1 永久保**ゾン**（　　）
2 **エン**岸漁業（　　）
3 **ジョウ**気機関（　　）
4 一進一**タイ**（　　）
5 玉石**コン**交（　　）
6 政**トウ**政治（　　）
7 空前**ゼツ**後（　　）
8 天地**ソウ**造（　　）
9 賛否両**ロン**（　　）
10 条件反**シャ**（　　）

## 7 後の［　］の中の語を必ず一度使って漢字に直し、対義語・類義語を完成させよ。

（各2×10＝20点）

【対義語】

1 表門―□門（　　）

2 横糸―□糸（　　）

3 地味―□手（　　）

4 短縮―□長（　　）

5 義務―□利（　　）

【類義語】

6 快活―明□（　　）

7 給料―□金（　　）

8 大木―大□（　　）

9 批判―批□（　　）

10 有名―□名（　　）

うら・えん・けん・じゅ・たて・ちょ・ちん・は・ひょう・ろう

## 8 後の［　］の中から漢字を選んで、次の意味に当てはまる熟語を作り、答えは記号で記せ。

（各2×5＝10点）

〈例〉本をよむこと。（読書）（シ・サ）

1 ずたずたにすること。（　・　）

2 お金などをかえすこと。（　・　）

3 役に立つと思われるねうち。（　・　）

4 一刻を争うこと。（　・　）

5 仕事などをわけて受け持つこと。（　・　）

ア 急　イ 担　ウ 寸　エ 値　オ 分　カ 済
キ 至　ク 返　ケ 断　コ 価　サ 書　シ 読

## 9 熟語の構成のしかたには次のようなものがある。

ア 反対や対《つい》になる意味を表す字を組み合わせたもの（例 強弱）
イ 同じような意味の字を組み合わせたもの（例 進行）
ウ 上の字が下の字の意味を修しょくしているもの（例 国旗）
エ 下の字から上の字へ返って読むと意味がよくわかるもの（例 消火）

次の熟語はそのどれにあたるか、記号で記せ。（各2×10＝20点）

1 在宅（　）
2 紅茶（　）
3 食欲（　）
4 収納（　）
5 除去（　）
6 乗降（　）
7 自己（　）
8 就職（　）
9 立腹（　）
10 山頂（　）

## 10 次の――線のカタカナを漢字に直せ。（各2×10＝20点）

1 **カン**衆は息をのんで見守った。（　）
2 複雑な仕組みを**カン**潔に説明する。（　）
3 近**シ**が進み、めがねを作り直した。（　）
4 **シ**用で都心へ買い物に行く。（　）
5 大国が周辺地域を**シ**配する。（　）
6 国家試験に合格して**シ**格を得る。（　）
7 **セイ**火は二週間燃え続けた。（　）
8 何度も足を運んで**セイ**意を示す。（　）
9 おどろきの余り悲**メイ**を上げる。（　）
10 独立した国が国連に加**メイ**する。（　）

## 11 次の――線のカタカナを漢字に直せ。（各2×20＝40点）

1 スガタが目に焼き付いている。（　　）

2 マクが上がって演劇が始まった。（　　）

3 不要なものを思い切ってステる。（　　）

4 料理を大皿にモり付ける。（　　）

5 イズミからは水がわき出ている。（　　）

6 流行のフクソウに関心が高い。（　　）

7 落とし物をケイサツに届ける。（　　）

8 母のカンゴのために会社を休む。（　　）

9 スイリして真犯人をわり出す。（　　）

10 ツクエの上に一輪の花をかざる。（　　）

11 ワれたガラスを片づける。（　　）

12 長いイシダンが続いている。（　　）

13 ワカい世代にも人気のある作家だ。（　　）

14 準備タイソウをしてプールに入る。（　　）

15 正月のリンジ列車で帰省する。（　　）

16 オンダンな気候で過ごしやすい。（　　）

17 ソンケイにあたいする人物だ。（　　）

18 エイゾウ作家として活やくする。（　　）

19 オウザをかけた試合に敗れる。（　　）

20 真綿にハリを包む。（　　）

# 第1回 模擬試験 標準解答

## 1 読み 各1点(20)

1 さが
2 く
3 も
4 あやま
5 たっと、とうと
6 われ
7 ちょうしゃ
8 つくえ
9 ふる
10 すがた
11 あら
12 とど
13 そ
14 いただき
15 しょうじ
16 こくもつ
17 したが
18 まど
19 あな
20 ま

## 2 部首と部首名 各1点(10)

1 け ク
2 こ イ
3 か カ
4 い ケ
5 え ウ

## 3 画数 各1点(10)

1 6 14
2 6 10
3 7 9
4 2 17
5 4 7

## 4 送りがな 各2点(10)

1 納める
2 縮める
3 裁く
4 刻んる
5 垂れる

## 5 音と訓 各2点(20)

1 エ
2 イ
3 イ
4 ア
5 ウ
6 エ
7 エ
8 イ
9 エ
10 ウ

## 6 四字熟語 各2点(20)

1 揮
2 誌
3 層
4 磁
5 欲
6 異
7 策
8 衆
9 有
10 論

## 7 対義語・類義語 各2点(20)

1 干
2 源
3 乱
4 難
5 密
6 宣
7 担
8 背
9 割
10 亡

## 8 熟語作り 各2点(10)

1 コ・ケ
2 キ・カ
3 ク・オ
4 エ・ア
5 ウ・イ

## 9 熟語の構成 各2点(20)

1 ア
2 ア
3 ウ
4 エ
5 ウ
6 エ
7 ウ
8 イ
9 エ
10 イ

## 10 同じ読みの漢字 各2点(20)

1 勤
2 努
3 映
4 移
5 供
6 共
7 腹
8 原
9 済
10 住

## 11 書き取り 各2点(40)

1 忠実
2 骨折
3 俳句
4 将来
5 拝
6 訳
7 遺産
8 劇
9 専門
10 降
11 沿
12 厳
13 忘
14 幼
15 胸
16 補
17 認
18 貴重
19 激
20 棒

# 第2回 模擬試験 標準解答

## 1 読み　各1点(20)

1 きりつ
2 いた
3 た
4 なら
5 ほ
6 よ
7 きざ
8 きず
9 さんさく
10 じゅく
11 たず
12 そらもよう
13 せおよ
14 みと
15 そ
16 と
17 ひきょう
18 あたた
19 むね
20 そんちょう

## 2 部首と部首名　各1点(10)

1 け ウ
2 か カ
3 え エ
4 い ア
5 お ケ

## 3 画数　各1点(10)

1 8 12
2 6 13
3 8 10
4 12 13
5 5 16

## 4 送りがな　各2点(10)

1 拝む
2 幼い
3 厳しく
4 危ない
5 供える

## 5 音と訓　各2点(20)

1 ウ
2 ア
3 ア
4 エ
5 イ
6 ア
7 エ
8 イ
9 ア
10 エ

## 6 四字熟語　各2点(20)

1 脳
2 宣
3 革
4 推
5 欠
6 疑
7 臓
8 命
9 断
10 担

## 7 対義語・類義語　各2点(20)

1 臨
2 痛
3 宅
4 片
5 縮
6 著
7 俳
8 域
9 段
10 郷

## 8 熟語作り　各2点(10)

1 ケ・イ
2 オ・ク
3 ウ・ア
4 キ・エ
5 コ・カ

## 9 熟語の構成　各2点(20)

1 エ
2 ア
3 ウ
4 イ
5 エ
6 ウ
7 エ
8 エ
9 エ
10 ア

## 10 同じ読みの漢字　各2点(20)

1 潮
2 塩
3 値
4 根
5 治
6 納
7 磁
8 辞
9 射
10 居

## 11 書き取り　各2点(40)

1 郵便
2 討論
3 異
4 困
5 窓
6 貯蔵
7 頂
8 暮
9 吸
10 乱
11 除
12 我
13 演奏
14 雑誌
15 乳
16 興奮
17 届
18 済
19 従
20 腹

# 第3回 模擬試験 標準解答

## 1 読み 各1点(20)

1 かし
2 の
3 そうりつ
4 きび
5 お
6 しおかぜ
7 がいろじゅ
8 うらにわ
9 まく
10 つと
11 しろ
12 ちょめい
13 しゅうきょう
14 す
15 りんじ
16 けいとう
17 ひけつ
18 しげん
19 ないかく
20 はら

## 2 部首と部首名 各1点(10)

1 く カ
2 け キ
3 あ ア
4 こ コ
5 か ク

## 3 画数 各1点(10)

1 4 7
2 5 8
3 4 9
4 6 9
5 6 8

## 4 送りがな 各2点(10)

1 閉じる
2 異なる
3 激しい
4 痛い
5 預ける

## 5 音と訓 各2点(20)

1 イ
2 ア
3 ア
4 ウ
5 エ
6 ウ
7 ウ
8 ウ
9 イ
10 ア

## 6 四字熟語 各2点(20)

1 得
2 給
3 警
4 権
5 衆
6 探
7 処
8 宅
9 晩
10 朗

## 7 対義語・類義語 各2点(20)

1 亡
2 縮
3 就
4 純
5 将
6 誠
7 論
8 告
9 値
10 存

## 8 熟語作り 各2点(10)

1 ク・キ
2 ケ・オ
3 ウ・エ
4 コ・ア
5 イ・カ

## 9 熟語の構成 各2点(20)

1 ウ
2 イ
3 ア
4 エ
5 ウ
6 イ
7 ウ
8 イ
9 イ
10 ア

## 10 同じ読みの漢字 各2点(20)

1 吸
2 救
3 訳
4 約
5 郵
6 優
7 乱
8 覧
9 専
10 宣

## 11 書き取り 各2点(40)

1 干
2 模様
3 拡張
4 鉄棒
5 発揮
6 対策
7 並
8 展示
9 卵
10 姿勢
11 簡潔
12 危
13 独奏
14 射
15 染
16 刻
17 難
18 疑
19 映
20 善

# 第4回 模擬試験 標準解答

## 1 読み 各1点(20)

| | |
|---|---|
| 1 | じゅひょう |
| 2 | ちぢ |
| 3 | たまご |
| 4 | しゃそう |
| 5 | すいい |
| 6 | はいく |
| 7 | えんそう |
| 8 | わ |
| 9 | かんけつ |
| 10 | かいかく |
| 11 | す |
| 12 | しょこく |
| 13 | おさな |
| 14 | じょうはつ |
| 15 | きょうり |
| 16 | うつ |
| 17 | さいばん |
| 18 | おさ |
| 19 | かわぞ |
| 20 | めんみつ |

## 2 部首と部首名 各1点(10)

| | | |
|---|---|---|
| 1 | い | オ |
| 2 | う | エ |
| 3 | お | ア |
| 4 | あ | キ |
| 5 | こ | イ |

## 3 画数 各1点(10)

| | | |
|---|---|---|
| 1 | 5 | 7 |
| 2 | 9 | 15 |
| 3 | 8 | 11 |
| 4 | 1 | 6 |
| 5 | 1 | 10 |

## 4 送りがな 各2点(10)

| | |
|---|---|
| 1 | 捨てる |
| 2 | 済ます |
| 3 | 認める |
| 4 | 補う |
| 5 | 乱れる |

## 5 音と訓 各2点(20)

| | |
|---|---|
| 1 | イ |
| 2 | エ |
| 3 | ウ |
| 4 | ア |
| 5 | エ |
| 6 | ウ |
| 7 | イ |
| 8 | ウ |
| 9 | ア |
| 10 | エ |

## 6 四字熟語 各2点(20)

| | |
|---|---|
| 1 | 射 |
| 2 | 宝 |
| 3 | 郵 |
| 4 | 担 |
| 5 | 操 |
| 6 | 臨 |
| 7 | 遺 |
| 8 | 誌 |
| 9 | 針 |
| 10 | 単 |

## 7 対義語・類義語 各2点(20)

| | |
|---|---|
| 1 | 模 |
| 2 | 著 |
| 3 | 段 |
| 4 | 垂 |
| 5 | 奮 |
| 6 | 将 |
| 7 | 盟 |
| 8 | 展 |
| 9 | 域 |
| 10 | 宅 |

## 8 熟語作り 各2点(10)

| | |
|---|---|
| 1 | ウ・イ |
| 2 | キ・ク |
| 3 | ア・オ |
| 4 | エ・カ |
| 5 | コ・ケ |

## 9 熟語の構成 各2点(20)

| | |
|---|---|
| 1 | エ |
| 2 | ウ |
| 3 | ア |
| 4 | ア |
| 5 | ウ |
| 6 | ア |
| 7 | ア |
| 8 | イ |
| 9 | イ |
| 10 | ウ |

## 10 同じ読みの漢字 各2点(20)

| | |
|---|---|
| 1 | 降 |
| 2 | 孝 |
| 3 | 刻 |
| 4 | 穀 |
| 5 | 衆 |
| 6 | 就 |
| 7 | 装 |
| 8 | 創 |
| 9 | 層 |
| 10 | 想 |

## 11 書き取り 各2点(40)

| | |
|---|---|
| 1 | 朗読 |
| 2 | 洗 |
| 3 | 批評 |
| 4 | 指揮 |
| 5 | 株 |
| 6 | 資源 |
| 7 | 蚕 |
| 8 | 故障 |
| 9 | 看板 |
| 10 | 背景 |
| 11 | 座 |
| 12 | 勤 |
| 13 | 宇宙 |
| 14 | 筋 |
| 15 | 危険 |
| 16 | 翌日 |
| 17 | 供 |
| 18 | 冊 |
| 19 | 優勝 |
| 20 | 呼 |

# 第5回 模擬試験 標準解答

## 1 読み 各1点(20)

| | |
|---|---|
| 1 | そな |
| 2 | みなもと |
| 3 | おぎな |
| 4 | かいこ |
| 5 | てんしゅかく |
| 6 | こうふん |
| 7 | しょめい |
| 8 | い |
| 9 | しお |
| 10 | きぬ |
| 11 | ちゅうこく |
| 12 | せんげん |
| 13 | せんもん |
| 14 | しゃくはち |
| 15 | こうてつ |
| 16 | ちゅうふく |
| 17 | ばんしゅう |
| 18 | いずみ |
| 19 | しゅのう |
| 20 | ひひょう |

## 2 部首と部首名 各1点(10)

| | | |
|---|---|---|
| 1 | き | ウ |
| 2 | え | オ |
| 3 | お | ク |
| 4 | う | カ |
| 5 | け | ア |

## 3 画数 各1点(10)

| | | |
|---|---|---|
| 1 | 3 | 5 |
| 2 | 10 | 11 |
| 3 | 3 | 10 |
| 4 | 3 | 9 |
| 5 | 4 | 15 |

## 4 送りがな 各2点(10)

| | |
|---|---|
| 1 | 染まる |
| 2 | 並べる |
| 3 | 困っ |
| 4 | 忘れる |
| 5 | 届い |

## 5 音と訓 各2点(20)

| | |
|---|---|
| 1 | ア |
| 2 | ウ |
| 3 | イ |
| 4 | ア |
| 5 | ア |
| 6 | エ |
| 7 | イ |
| 8 | イ |
| 9 | エ |
| 10 | ア |

## 6 四字熟語 各2点(20)

| | |
|---|---|
| 1 | 株 |
| 2 | 操 |
| 3 | 機 |
| 4 | 拡 |
| 5 | 純 |
| 6 | 乱 |
| 7 | 異 |
| 8 | 訪 |
| 9 | 延 |
| 10 | 断 |

## 7 対義語・類義語 各2点(20)

| | |
|---|---|
| 1 | 疑 |
| 2 | 片 |
| 3 | 朗 |
| 4 | 視 |
| 5 | 裏 |
| 6 | 寸 |
| 7 | 己 |
| 8 | 簡 |
| 9 | 翌 |
| 10 | 処 |

## 8 熟語作り 各2点(10)

| | |
|---|---|
| 1 | カ・イ |
| 2 | ウ・ク |
| 3 | ア・エ |
| 4 | オ・コ |
| 5 | キ・ケ |

## 9 熟語の構成 各2点(20)

| | |
|---|---|
| 1 | ア |
| 2 | エ |
| 3 | ア |
| 4 | ア |
| 5 | イ |
| 6 | ウ |
| 7 | イ |
| 8 | ア |
| 9 | イ |
| 10 | エ |

## 10 同じ読みの漢字 各2点(20)

| | |
|---|---|
| 1 | 暖 |
| 2 | 段 |
| 3 | 探 |
| 4 | 担 |
| 5 | 庁 |
| 6 | 頂 |
| 7 | 障 |
| 8 | 将 |
| 9 | 蔵 |
| 10 | 臓 |

## 11 書き取り 各2点(40)

| | |
|---|---|
| 1 | 閉 |
| 2 | 巻 |
| 3 | 推進 |
| 4 | 至 |
| 5 | 高層 |
| 6 | 雑誌 |
| 7 | 運賃 |
| 8 | 敬 |
| 9 | 模型 |
| 10 | 装置 |
| 11 | 座席 |
| 12 | 窓辺 |
| 13 | 裁 |
| 14 | 班 |
| 15 | 砂糖 |
| 16 | 権利 |
| 17 | 若葉 |
| 18 | 縮 |
| 19 | 価値 |
| 20 | 宝 |

# 第6回 模擬試験 標準解答

## 1 読み　各1点(20)

| | |
|---|---|
| 1 | はいかん |
| 2 | かんしゅう |
| 3 | かくちょう |
| 4 | いた |
| 5 | ぶしょう |
| 6 | かいらん |
| 7 | じゅんぱく |
| 8 | だいきぼ |
| 9 | はげ |
| 10 | てんじ |
| 11 | けんぽう |
| 12 | やく |
| 13 | わす |
| 14 | しょぞう |
| 15 | ぶっかく |
| 16 | きちょう |
| 17 | みだ |
| 18 | せいゆう |
| 19 | はい |
| 20 | かぶ |

## 2 部首と部首名　各1点(10)

| | | |
|---|---|---|
| 1 | こ | ク |
| 2 | お | コ |
| 3 | あ | ケ |
| 4 | う | ウ |
| 5 | け | オ |

## 3 画数　各1点(10)

| | | |
|---|---|---|
| 1 | 4 | 5 |
| 2 | 7 | 11 |
| 3 | 4 | 9 |
| 4 | 11 | 12 |
| 5 | 9 | 12 |

## 4 送りがな　各2点(10)

| | |
|---|---|
| 1 | 暮れる |
| 2 | 従う |
| 3 | 難しい |
| 4 | 疑い |
| 5 | 勤め |

## 5 音と訓　各2点(20)

| | |
|---|---|
| 1 | ア |
| 2 | エ |
| 3 | イ |
| 4 | ウ |
| 5 | エ |
| 6 | ウ |
| 7 | イ |
| 8 | イ |
| 9 | ウ |
| 10 | エ |

## 6 四字熟語　各2点(20)

| | |
|---|---|
| 1 | 存 |
| 2 | 沿 |
| 3 | 蒸 |
| 4 | 退 |
| 5 | 混 |
| 6 | 党 |
| 7 | 絶 |
| 8 | 創 |
| 9 | 論 |
| 10 | 射 |

## 7 対義語・類義語　各2点(20)

| | |
|---|---|
| 1 | 裏 |
| 2 | 縦 |
| 3 | 派 |
| 4 | 延 |
| 5 | 権 |
| 6 | 朗 |
| 7 | 賃 |
| 8 | 樹 |
| 9 | 評 |
| 10 | 著 |

## 8 熟語作り　各2点(10)

| | |
|---|---|
| 1 | ウ・ケ |
| 2 | ク・カ |
| 3 | コ・エ |
| 4 | キ・ア |
| 5 | オ・イ |

## 9 熟語の構成　各2点(20)

| | |
|---|---|
| 1 | エ |
| 2 | ウ |
| 3 | ウ |
| 4 | イ |
| 5 | イ |
| 6 | ア |
| 7 | イ |
| 8 | エ |
| 9 | エ |
| 10 | ウ |

## 10 同じ読みの漢字　各2点(20)

| | |
|---|---|
| 1 | 観 |
| 2 | 簡 |
| 3 | 視 |
| 4 | 私 |
| 5 | 支 |
| 6 | 資 |
| 7 | 聖 |
| 8 | 誠 |
| 9 | 鳴 |
| 10 | 盟 |

## 11 書き取り　各2点(40)

| | |
|---|---|
| 1 | 姿 |
| 2 | 幕 |
| 3 | 捨 |
| 4 | 盛 |
| 5 | 泉 |
| 6 | 服装 |
| 7 | 警察 |
| 8 | 看護 |
| 9 | 推理 |
| 10 | 机 |
| 11 | 割 |
| 12 | 石段 |
| 13 | 若 |
| 14 | 体操 |
| 15 | 臨時 |
| 16 | 温暖 |
| 17 | 尊敬 |
| 18 | 映像 |
| 19 | 王座 |
| 20 | 針 |

# まちがえやすい漢字

試験でまちがいが多発している漢字を紹介《しょうかい》します。まちがえるポイントを押《お》さえ、セットで覚えましょう。

【参考文献】『角川新字源 改訂新版』KADOKAWA、『漢字源 改訂第六版』学研プラス

**書きまちがい（字形）**

## 磁 vs 滋

滋には、養分になるという字義がある。「滋養《じよう》」などが出題されている。
磁には、磁性のある鉱物という字義がある。「磁石《じしゃく》」、「磁針《じしん》」などが出題されている。

**書きまちがい（字形）**

## 蔵 vs 臓

臓には、体内にある器官という字義がある。「心臓《しんぞう》」、「内臓《ないぞう》」などが出題されている。
蔵には、くら、おさめるという字義がある。「冷蔵《れいぞう》」、「内蔵《ないぞう》」などが出題されている。

**書きまちがい（字形）**

## 博 vs 専

専には、特化するという字義がある。「専門《せんもん》」、「専念《せんねん》」などが出題されている。
博には、広いという字義がある。「博物館《はくぶつかん》」などが出題されている。

**書きまちがい（字形）**

## 巻 vs 券

券には、手形、木の札という字義がある。「株券《かぶけん》」、「券売機《けんばいき》」などが出題されている。
巻には、書物という字義がある。「巻末《かんまつ》」、「絵巻物《えまきもの》」などが出題されている。

**書きまちがい（字形）**

## 源 vs 原

原には、広くて平らな場所という字義がある。「原《はら》っぱ」、「氷原《ひょうげん》」などが出題されている。
源には、物事の始まりという字義がある。「資源《しげん》」、「水源《すいげん》」などが出題されている。

**書きまちがい（字形）**

## 暑 vs 署

署には、書き記す、役所という字義がある。「署名《しょめい》」、「警察署《けいさつしょ》」などが出題されている。
暑には、気温が通常より高いという字義がある。「残暑《ざんしょ》」などが出題されている。

**書きまちがい（字形）**

## 徒 vs 従

従には、他人の意向通りにするという字義がある。「従《したが》う」などが出題されている。
徒には、弟子という字義がある。「生徒《せいと》」などが出題されている。

**書きまちがい（字形）**

## 貸 vs 賃

賃には、物やサービスへの対価という字義がある。「運賃《うんちん》」、「賃金《ちんぎん》」などが出題されている。
貸には、金をかすという字義がある。「貸《か》す」などが出題されている。

**書きまちがい（字形）**

## 着 vs 看

看には、注意して見るという字義がある。「看護《かんご》」、「看板《かんばん》」などが出題されている。
着には、くっつく、服をきるという字義がある。「付着《ふちゃく》」、「厚着《あつぎ》」などが出題されている。

書きまちがい（同訓）

## 塩 vs 潮

潮には、海の満ち引きという字義がある。「潮《しお》が満ちる」などが出題されている。
塩には、塩からい味のする物という字義がある。「塩《しお》づけする」などが出題されている。

書きまちがい（同訓）

## 居 vs 射

射には、弓で矢をいるという字義がある。「矢を射《い》る」などが出題されている。
居には、ある場所に存在するという字義がある。「家に居《い》る」などが出題されている。

書きまちがい（同訓）

## 治 vs 納

納には、支はらうという字義がある。「税金を納《おさ》める」などが出題されている。
治には、統治するという字義がある。「一国を治《おさ》める」などが出題されている。

部首のまちがい

## 望 vs 聖

聖の部首は耳（みみ）、望の部首は月（つき）。
両者とも字形が似ていて、部首となりそうな複数の字から構成されているので注意。聖人は人の話に「耳」をかたむける人、望月は「満月」の意味と覚えれば忘れにくい。

書きまちがい（同訓）

## 移 vs 映

映には、映像を画面などに現すという字義がある。「テレビに映《うつ》す」などが出題されている。
移には、場所が変わるという字義がある。「席を移《うつ》る」などが出題されている。

書きまちがい（同訓）

## 謝 vs 誤

誤には、まちがえるという字義がある。「誤報《ごほう》」、「誤解《ごかい》」などが出題されている。
謝には、わびるという字義がある。「謝罪《しゃざい》」などが出題されている。

部首のまちがい

## 忘 vs 亡

亡の部首は亠（なべぶた）、忘の部首は心（こころ）。
精神の働きなどに関連する漢字には部首が心（こころ）のものが多い。

部首のまちがい

## 異 vs 共

共には両手でささげるという意味がある。異の部首の田（た）は耕作地を意味する。ただし、異は耕作地とは関係が薄く、面を被った人が両手を挙げている様子に由来していて、そこから普通の人間とは異なるという意味が生まれた。

書きまちがい（同訓）

## 済 vs 住

住には、居をかまえて生活するという字義がある。「農村に住《す》む」などが出題されている。
済には、物事がきちんと終わるという字義がある。「買い物が済《す》む」などが出題されている。

書きまちがい（同訓）

## 勤 vs 努

努には、力をつくすという字義がある。「節水に努《つと》める」などが出題されている。
勤には、仕事という字義がある。「銀行に勤《つと》める」などが出題されている。

部首のまちがい

## 暮 vs 幕

幕の部首は巾（はば）、暮の部首は日（ひ）。
巾は布されを意味し、日は時間や気象などを意味する。漢字の意味から推測すれば覚えやすい。くれぐれも、草木に関係する部首「艹（くさかんむり）」とまちがえないこと。

部首のまちがい

## 裏 vs 京

京の部首は亠（なべぶた）、裏の部首は衣（ころも）。
衣服などに関連する漢字には部首が衣（ころも）のものが多い。裏は衣のうらという字義がある。

受検をお考えの方は、必ずご自身で公益財団法人 日本漢字能力検定協会の発表する最新情報をご確認ください。
ホームページ：https://www.kanken.or.jp/kanken/
【試験に関する問い合わせ】
・ホームページ（問い合わせフォーム）：**https://www.kanken.or.jp/kanken/contact/**
・電話：**0120-509-315**

編集協力（データ分析、一部問題作成）　岡野秀夫

# 漢字検定5級〔頻出度順〕問題集

編　者　資格試験対策研究会
発行者　清水美成
発行所　**株式会社 高橋書店**
〒170-6014 東京都豊島区東池袋3-1-1 サンシャイン60 14階
電話　03-5957-7103


本書の内容についてのご質問は「書名、質問事項（ページ、内容）、お客様のご連絡先」を明記のうえ、郵送、FAX、ホームページお問い合わせフォームから小社へお送りください。

回答にはお時間をいただく場合がございます。また、電話によるお問い合わせ、本書の内容を超えたご質問にはお答えできませんので、ご了承ください。本書に関する正誤等の情報は、小社ホームページもご参照ください。

**【内容についての問い合わせ先】**
書　面　〒170-6014 東京都豊島区東池袋3-1-1 サンシャイン60 14階　高橋書店編集部
F A X　03-5957-7079
メール　小社ホームページお問い合わせフォームから　（https://www.takahashishoten.co.jp/）

**【不良品についての問い合わせ先】**

ページの順序間違い・抜けなど物理的欠陥がございましたら、電話03-5957-7076へお問い合わせください。

ただし、古書店等で購入・入手された商品の交換には一切応じられません。